나의 사주명리

— 기초 편 —

언젠가 한번은 자신의 힘으로
사주를 풀어 보고 싶은 이들을 위한 안내

현묘 지음

나의 사주명리

기초 편

일러두기

- 오행의 생극, 간지, 십신에 관한 것을 표나 글로 정리한 엽서를 책에 삽입해 두었다. 책을 읽는 동안 곁에 두면 요긴하게 활용할 수 있을 것이다.
- 오행의 색은 목은 초록색, 화는 붉은색, 토는 황토색, 금은 흰색, 수는 검정색으로 표현했다.

프롤로그

인간은 태어난 순간 고유한 기운을 부여받고, 그 기운의 질서대로 삶을 살아간다.

이것은 사주명리•의 기본 전제이다.

우리에게 부여되는 기운은 신의 장난처럼 아무렇게나 정해지는 것이 아니라, 정해진 규칙과 패턴을 따르고 있다.

정해진 규칙과 패턴은 바로 지구의 운행(자연의 순환)과 관계가 깊다.

즉 우리가 태어났을 때, 태양계에서의 지구의 위상이 바로 우

• 사주명리는 사람이 태어난 연, 월, 일, 시의 네 간지에 근거해 인생과 자연의 이치를 탐구하는 학문을 말한다. 보통 '명리학'이라고 한다. 사주四柱는 사람이 태어난 연, 월, 일, 시 네 개의 간지를 가리키고, 명리命理는 하늘이 내린 목숨과 자연의 이치라는 뜻이다.

리가 평생을 안고 살아가야 할 기운이 되는 것이다.

우리가 주변의 사람들과 시시각각 영향을 주고받듯이, 우리의 터전인 지구도 시시각각 태양계의 행성들과 관계를 맺고 있다.

우리가 태어난 순간 지구가 맺은 그 관계성이 우리의 몸에 각인되어 질서가 되고, 그 질서는 변하지 않고 우리의 삶을 이끌어 간다.

그 질서를 기호로 표현한 것이 바로 천간과 지지이며,
그 기호를 인간의 삶에 비추어 해석한 것이 바로 사주명리 이론이다.

오로지 스스로만이 스스로의 삶을 바꿀 수 있다.
단, 자기 자신에 대해서 정확하게 알아야만 변화할 수 있으며, 사주명리의 이론은 한 인간의 삶을 이해할 많은 단서를 제공한다.

사주가 없는 인간은 없다. 칠흑 같은 어둠의 순간에도 당신의 사주가 당신을 지킬 것이고, 결국 앞으로 나아가게 할 것이다. 존재를 가능하게 한 그 힘이 결국, 당신을 밝힐 것이다.

차례

3장. 천간, 순수한 하늘의 뜻

4장. 지지, 땅에서 이루는 조화

5장. 사주명리의 모든 것, 십신

1장

만세력

숫자 달력과 의미 달력

과거 인류는 숫자 달력이 아닌 의미 달력을 사용했다.

숫자 달력을 사용하게 되면 좋은 점은 어떤 역사적 사건이 언제 일어났는지 직관적으로 확인할 수 있다는 점이다. 700년에 일어난 사건과 1700년에 일어난 사건이 1000년의 시간 차를 두고 발생했다는 것을 누구나 직관적으로 알 수 있게 된다. 그래서 역사를 기술하거나 어떤 사건의 선후를 파악하는 데 굉장히 유용하게 사용될 수 있다.

숫자 달력의 단점은 시간에 의미를 부여하기 힘들다는 점이다. 맹목적으로 앞으로 나아가는 숫자 달력이 대변하는 시간관에서 우리가 찾아볼 수 있는 통찰은 지나간 것은 사라지고, 미래는 무한하다는 점뿐이다.

반면, 과거에 사용되었던 의미 달력은 일정한 규칙을 가지고 반복되는 구조로 되어 있다. 지나가 버리는 것이 아니라 다시 되돌아온다는 것이 의미 달력의 시간관인 것이다. 지나간 시간이 사라져 버리는 것이 아니라, 다시 되돌아오는 구조를 갖추고 있으므로 하나의 시간 단위는 하나의 의미를 지닐 수 있게 된다.

의미 달력의 단점은 어떠한 사건이 정확히 언제 일어났는지 파악하기가 어렵다는 점이다. 예를 들어 임인년에 어떤 사건이 일어났다면 2022년의 임인년인지, 1962년의 임인년인지 추가적인 설명이 필요하다.

재미있는 점은 의미 달력의 이런 규칙적인 반복이 임의로 설정되지 않았다는 데 있다. 동아시아의 의미 달력인 만세력은 크게는 60년의 주기로 계속 반복되는데(즉 갑자년이 시작되고 60년이 지나면 갑자년이 돌아온다), 이 60이라는 숫자는 어떤 왕이나 권력 집단이 임의로 설정한 것이 아니다. 의미 달력의 모든 반복 주기는 지구 주변 천체의 관찰을 통해서 설정되었다.

태양은 자전하고 공전한다. 마찬가지로 지구도 자전하고 공전한다. 우주에 존재하는 모든 천체는 회전한다. 천체를 구성하는 물질도 따라서 회전하기 때문에 우주에 존재하는 모든 물질은 회전의 관계성 안에 들어 있다고 볼 수 있다.

우주적인 관점에서 돌지 않는 것은 존재하지 않는다. 존재한다는 것은 도는 것과 같다. 돈다는 것은 규칙성을 갖는다는 것이며, 과거의 철학자들은 자연과 우주의 관찰을 통해 지구와 주변 행성의 규칙성을 발견했다. 지구가 갖는 이 회전의 규칙성을 바탕으로 달력을 만들고, 거기에 의미를 부여한 것이 바로 의미 달력이다.

이 의미 달력은 전 세계에 여러 가지 형태•로 존재한다. 동아시아에서는 '만세력'이라는 의미 달력을 사용했고, 이 만세력을 바탕으로 시간에 의미를 부여했다.

사주명리의 바탕

사주명리는 만세력에 바탕을 두고 인간을 이해하려는 학문, 철학적 체계이다. 사주명리는 두 가지 전제를 바탕으로 삼고 있다.

첫째, 모든 시간은 의미를 가지고 있으며, 인간은 시시각각 시간의 의미에 영향을 받는다. 지금 시간이 임인년, 계묘월, 갑진일, 무신시라면, 지금 우리 모두는 이 시간의 의미망 안에 들어 있다. 우리는 지금 임인, 계묘, 갑진, 무신의 조합이 암시하는 힘의 영향을 받고 있다.

둘째, 태어나는 순간의 시간의 의미가 한 인간의 기질과 삶의 방향에 영향을 미친다. 임인년, 계묘월, 갑진일, 무신시에 태어

• 고대 마야력인 촐킨력Tzolkin에서 여섯 번째 날인 시믹simic은 죽음을, 일곱 번째 날인 마닉manik은 사슴을 의미한다. 고대 아시리아력에서 여섯 번째 달인 후부루hubur는 생명의 강을 의미한다. 고대인들에게 시간과 의미는 떼려야 뗄 수 없는 관계였다.

난 사람이 있다면, 이 사람은 평생 임인, 계묘, 갑진, 무신이 암시하는 힘으로 세상을 살아간다.

전제가 이러하기에 만세력을 구성하는 시간 단위의 의미를 제대로 알고, 그 조합이 가지는 암시를 이해한다면 우리는 스스로를 더 잘 이해할 수 있을 것이다. 또한 과거의 나를 용서할 수 있을 것이고, 미래의 나를 응원할 수 있을 것이다.

우리를 구성하고 둘러싼 모든 시간은 숫자가 아니라, 의미이다.

4개의 기둥 :
연, 월, 일, 시

만세력의 시간은 네 개의 독립적인 단위로 구성되어 있다.

가장 큰 주기는 바로 연이다. 현대의 달력에서 연은 무한히 앞으로 전진하지만, 만세력에서의 연은 60년마다 한 번씩 돌아온다. 올해가 갑자년이라면 60년 후에 갑자년이 돌아오는 구조

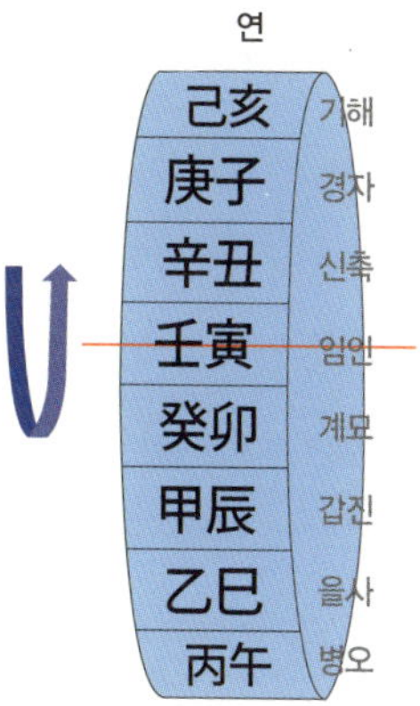

올해가 임인년(2022년)이라면, 1년 후는 계묘년이 되고, 60년 후에 임인년이 돌아온다.

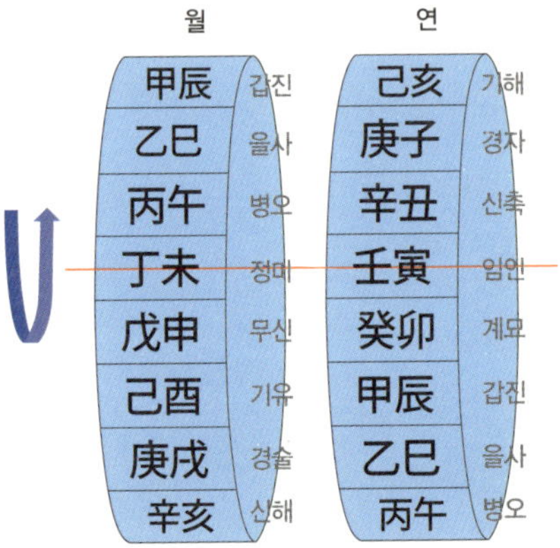

연의 톱니바퀴가 1년에 1칸씩 이동한다면, 월의 톱니바퀴는 1달에 1칸씩 이동한다. 갑자년 1년 동안 월의 톱니바퀴가 12칸 이동하는 방식이다. 현재가 임인년 정미월이라면, 다음 달이 무신월이 되고, 60개월 후에 다시 정미월이 돌아온다.

이다.

숫자 달력에서는 한 해의 시작을 따지는 것이 무의미하다. 1월 1일을 한 해의 시작으로 하건, 5월 5일을 한 해의 시작으로 하건 상관없다. 숫자가 어떠한 의미도 가지고 있지 않기 때문이다. 하지만 의미 달력인 만세력은 의미를 가지고 있으므로 시작의 의미를 지닌 날짜가 한 해의 시작이 된다. (학자들 사이에) 논란이 있지만 기본적으로 입춘이 한 해의 시작점이 된다. 입춘이 만물이 움트는 의미를 가지고 있기 때문이다.

두 번째로 큰 주기는 바로 월이다. 현대의 달력에서 월은 연의 단위 안에 포함되어 있으며, 12개로 구성되어 있다. 만세력에서의 월은 연의 주기 안에 포함되어 있지 않다.

연과 월은 각각 따로 도는 톱니바퀴 같은 것이다. 월은 60개

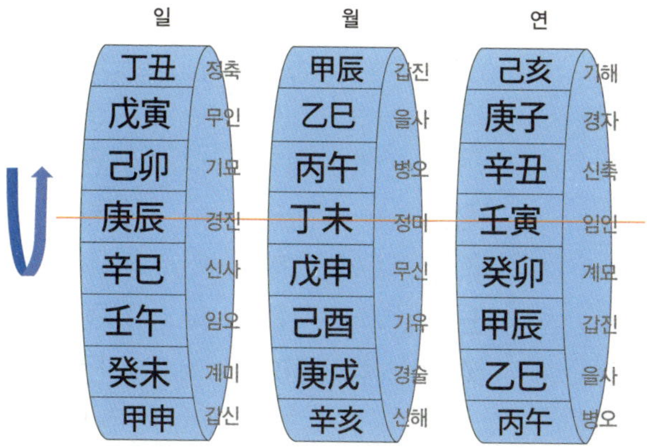

월의 톱니바퀴가 1달에 1칸씩 이동한다면, 일의 톱니바퀴는 하루에 1칸씩 이동한다. 현재가 임인년 정미월 경진일이라면, 다음 날이 신사일이 되고, 60일 후에 다시 경진일이 돌아온다.

월마다 한 번씩 돌아온다. 짐작했겠지만 만세력의 모든 단위는 60의 주기로 구성되어 있다. 이번 달이 갑자월이라면, 60개월 후에 갑자월이 돌아오는 구조이다.

세 번째로 큰 주기는 바로 일이다. 현대의 달력에서 일은 월의 단위 안에 포함되어 있으며 28~31개의 변칙적인 주기를 가진다. 하지만 만세력에서의 일은 월과 상관없이 독립적으로 움직이며, 60일마다 한 번씩 돌아온다. 오늘이 갑자일이라면, 60일 후에 갑자일이 된다.

가장 작은 주기는 바로 시이다. 만세력에서는 2시간이 하나의 시간 단위이다. 즉 만세력에서는 하루가 12개의 시간 단위로 구성되어 있는 것이다. 마찬가지로 시 역시 60의 주기를 가진다. 즉, 지금 이 시간이 갑자시라면, 60개의 시간 단위인 120

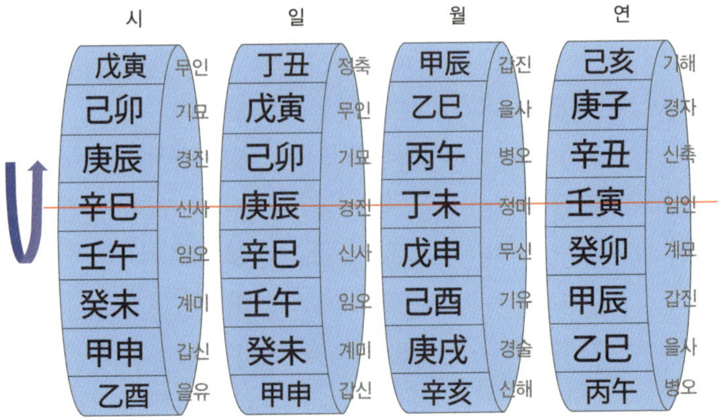

일의 톱니바퀴가 하루에 1칸씩 이동한다면, 시의 톱니바퀴는 2시간에 1칸씩 이동한다. 현재가 임인년 정미월 경진일 신사시라면, 2시간 이후는 임오시가 되고, 120시간 후에 다시 신사시가 돌아온다.

시간(5일 후) 이후에 갑자시가 돌아온다.

현대의 시간 단위는 연 안에 월이 포함되어 있고, 월 안에 일이 포함되어 있고, 일 안에 시간이 포함되어 있다. 하위 단위의 시간이 상위 단위의 시간에 종속되어 있는 구조이다.

반면 만세력에서는 연, 월, 일, 시가 각각 독립적인 주기성을 가지고 움직인다. 하나의 시간 단위가 상위 시간 단위에 종속되어 있지 않고, 독립적인 주기성을 가진다는 것은 무엇을 의미할까? 각각의 시간 단위가 고유한 의미를 지닐 수 있다는 의미다. 경진일은 임인년 정미월이라는 큰 시간 단위에 포함되어 있으면서 동시에, '경진'이라는 고유의 의미를 가진다.

	시	일	월	연
천간	辛 신	庚 경	丁 정	壬 임
지지	巳 사	辰 진	未 미	寅 인

· 숫자 달력의 시간

2022년 7월 26일 오전 10시 30분: 전후 순서를 알려 주는 것 이외의 의미가 없다.

· 만세력의 시간

임인년, 정미월, 경진일, 신사시: 연, 월, 일, 시라는 각각의 시간 단위에 담긴 의미를 파악할 수 있다. 또한 네 개의 시간 단위, 여덟 개의 의미 조각의 조화가 종합적으로 어떤 의미를 자아내는지 파악할 수 있다.

천간과 지지의 조합 '간지'

만세력의 시간은 숫자가 아닌 문자로 표현되어 있다. 이 문자가 가지는 의미를 이해할 수 있다면 우리는 만세력의 시간이 우리에게 어떤 의미를 가지는지 확인할 수 있을 것이다.

만세력의 주기인 60이라는 단위를 구성하는 문자를 천간과 지지라고 부르고, 이를 줄여서 간지라고 부른다.

천간은 10개, 지지는 12개로 구성되어 있으며, 천간 10개와 지지 12개의 조합이 60개의 개별 단위를 만든다. 이 60개의 묶음을 간지(혹은 60간지)라고 부른다.

간지의 의미에 대해 살펴보기 전에, 먼저 동양 철학의 근간인 음양과 오행에 대해 알아보자. 각각의 간지는 음양과 오행을 표현한 도구이기 때문이다.

甲	乙	丙	丁	戊	己	庚	辛	壬	癸
갑	을	병	정	무	기	경	신	임	계

천간

子	丑	寅	卯	辰	巳
자	축	인	묘	진	사
午	未	申	酉	戌	亥
오	미	신	유	술	해

지지

甲	乙	丙	丁	戊	己	庚	辛	壬	癸	甲	乙
子	丑	寅	卯	辰	巳	午	未	申	酉	戌	亥
갑자	을축	병인	정묘	무진	기사	경오	신미	임신	계유	갑술	을해
丙	丁	戊	己	庚	辛	壬	癸	甲	乙	丙	丁
子	丑	寅	卯	辰	巳	午	未	申	酉	戌	亥
병자	정축	무인	기묘	경진	신사	임오	계미	갑신	을유	병술	정해
戊	己	庚	辛	壬	癸	甲	乙	丙	丁	戊	己
子	丑	寅	卯	辰	巳	午	未	申	酉	戌	亥
무자	기축	경인	신묘	임진	계사	갑오	을미	병신	정유	무술	기해
庚	辛	壬	癸	甲	乙	丙	丁	戊	己	庚	辛
子	丑	寅	卯	辰	巳	午	未	申	酉	戌	亥
경자	신축	임인	계묘	갑진	을사	병오	정미	무신	기유	경술	신해
壬	癸	甲	乙	丙	丁	戊	己	庚	辛	壬	癸
子	丑	寅	卯	辰	巳	午	未	申	酉	戌	亥
임자	계축	갑인	을묘	병진	정사	무오	기미	경신	신유	임술	계해

60간지

2장

음양오행

유동하는
음과 양

동양 철학의 근간을 이루는 음양(혹은 유有와 무無)이라는 개념은 어둠과 빛의 구분에서 시작되었다. 누구나 관찰할 수 있는 밤과 낮, 겨울과 여름, 어둠과 밝음의 대립에서 출발한 이 개념은 시간이 흐르면서 다양한 의미로 발전한다.

우리가 흔히 알고 있는 남성과 여성, 해와 달, 채우는 것과 비우는 것 말고도 인간의 행동 양식과 정서까지도 음과 양이라는 개념으로 정리할 수 있다.

표로 정리하니 마치 이러한 특성들이 고정되어 있는 것처럼 보인다. 하지만 음양의 철학이 우리에게 주는 통찰은 분리가 아니라 '조화'와 '균형'이다.

음은 없는 것에서 가만히 머물러 있는 기운이 아니다. 하강하려는 힘을 의미하고, 비워 내려는 운동성을 상징한다. 즉, 음은 끊임없이 양과 교류하면서 양의 기운을 흡수해 힘을 응축한다.

양은 채워진 것에서 가만히 머물러 있는 기운이 아니다. 상

음陰	양陽
사고 지향적	행동 지향적
현재의 가치 중시	미래의 가치 중시
내향적	외향적
수동성	능동성
실리(힘, 세력 존중)	명분(기세, 의리 존중)
여성, 왼쪽, 가을, 겨울	남성, 오른쪽, 봄, 여름
물, 끝, 밤, 땅, 계곡, 어둠	불, 시작, 낮, 하늘, 봉우리, 밝음
수축, 수렴, 하강, 부드러움	팽창, 발산, 상승, 단단함

음과 양의 특성

승하려는 힘을 의미하고, 채우려는 운동성을 상징한다. 즉, 양은 끊임없이 음과 교류하면서 음의 기운을 양분 삼아 힘을 발산한다.

음과 양 모두 고정되어 있는 것이 아니라 지속적으로 반대편으로 나아간다. 함께 머물면서, 쉴 새 없이 교류한다. 그렇게 에너지를 주고받으며 균형 상태를 유지하는 것이 음양의 핵심 작용이다.

동양 사상의 핵심을 잘 담아낸 《주역》의 기본 철학에서 알 수 있듯이 음양은 끊임없이 소통하고 자리를 바꾼다. 즉 상대방과 교류하며 늘 변하는 것[易]이 음양 사상의 핵심인 것이다.

"음은 마이너스고, 양은 플러스다", "남성은 하늘이고, 여성은 땅이다"는 식의 분리적인 사고는 지양해야 한다. 음과 양이 고정되어 있다는 프레임이 지배하는 들판에서는 철학적 사유가 싹트지 못한다.

음양의 상징,
태극

음에서 양이 싹트고, 양은 차오르면 음으로 돌아간다.

- 극단으로 치솟은 힘을 되돌려 가라앉히는 힘(음).
- 바닥으로 거꾸러진 힘을 다시 살아나게 하는 힘(양).
- 멈춘 것에 변화를 주고, 변화한 것은 다시금 제자리로 돌리는 힘(음과 양의 상호 작용).

위와 같은 것을 음양의 작용으로 볼 수 있다. 이렇듯 음양의 질서는 극단을 피하는 힘으로 볼 수 있다. 해는 떠올랐다가 다시 지고, 달은 차면 기운다. 겨울이 끝나면 더 추운 빙하기가 되는 것이 아니라 봄이 온다.

이러한 현상은 모두 지구와 달의 자전, 공전에서 비롯되는데, "전轉"이라는 단어에서 알 수 있듯이 행성의 회전이 이러한 자연 현상의 원인이다. 극단으로 치닫지 않고, 평행을 유지하는 음양의 이치는 실은 우주를 구성하는 행성의 운동성에서 비롯된 것이다. 이러한 자연의 운동성과 음양의 변화 이치를 도식적으로 가장 잘 표현한 것이 바로 태극이다.

음양의 이치를 가장 잘 표현한 태극

이 태극 이미지를 보면 음양오행의 운동 원리를 아주 잘 알 수 있다.

먼저 음을 의미하는 파란색을 보자. 아래쪽의 파란색 오른쪽을 보면 음의 영역이 가장 많은 것을 확인할 수 있다. 그런데 바로 그곳에서 양이 시작된다. 그곳에서 차오른 양은 위쪽과 왼쪽으로 움직이며 영역을 넓혀 간다. 그리고 최대 영역이 되었을 때 바로 음이 기지개를 켠다. 음의 수렴 작용이 시작되는 것이다.

음양에 대한 철학을 정립할 때 꼭 되새겨야 할 이미지가 이 태극이다. 우주의 운행, 자연의 운동, 계절의 변화, 인간의 일생을 모두 이 태극으로 설명할 수 있다.

또한 태극은 음양이 고정된 것이 아니고 계속 변화하는 힘의 상호 작용이라는 것을 알려 주는 중요한 기호이다. 변하지 않는 것은 없다. 존재하는 모든 것은 변한다.

오행,
우주를 움직이는 5가지 기운

음양이 모든 현상에 적용할 수 있는 근본 철학이라면, 오행은 음양에서 분화된 구체적인 기운의 상호 작용을 의미한다.

단어에서 알 수 있듯이 음양이 현상을 둘로 나눠서 보는 관점이라면, 오행은 현상을 다섯으로 나눠서 보는 관점이다.

우주에는 다섯 개의 기운이 존재하고, 이 기운들이 서로 이끌어 주고 대립한다는 것이 오행의 기본 개념이다. 이 오행을 '다섯 가지 물질'로 이해하는 경우도 있지만, 오행五行은 '행行'이라는 한자에서도 알 수 있듯이 물질이 아니라 '행동 양식' 혹은 '기운'을 의미한다.

오행은 목木, 화火, 토土, 금金, 수水로 구분할 수 있다.

보통 오행을 다음처럼 이해한다.

목木 = 나무

화火 = 불

木 火 土 金 水

목 화 토 금 수

오행

토土 = 흙

금金 = 쇠, 바위

수水 = 물

하지만 이런 도식은 각 기운의 일부만을 보여 주는 것이다. 가령 목을 예로 들면 목은 단순히 나무가 아니라 "성장하고 위로 솟아오르려는 맹렬한 기운"을 의미한다. 나무는 목의 운동

	목木	화火	토土	금金	수水
운동 성향	솟아오름	확장	아우름	끊고 맺음	감싸 안음
계절	봄	여름	여름~가을	가을	겨울
시간	아침	점심	오후	저녁	밤
색깔	청靑	적赤	황黃	백白	흑黑
초목	새싹	무성	유지	열매 맺음	씨앗, 발아
품성	인	예	신	의	지
방위	동	남	중앙	서	북
맛	신맛	쓴맛	단맛	매운맛	짠맛
소리	각	치	궁	상	우
신체 기관	근육, 뼈	눈,심혈관	내장, 유방, 피부	폐, 기관지	두뇌, 생식기, 신장

방식을 잘 담아낸 하나의 사물에 불과한 것이다. 화도 마찬가지이다. 화는 불이 아니다. 불은 화의 기운을 표현하기 위한 하나의 비유일 뿐이다.

방위, 색깔, 소리, 운동 성향, 신체 기관, 맛, 품성 등등 인간 삶의 거의 모든 분야에 적용할 수 있는 것이 바로 오행이다.

생,
상대를 살게 해 주는 것

음양이 철학적인 차원에서의 기운의 평행 상태, 주고받음을 의미하는 기호라면, 오행은 기운의 구체적인 관계성을 잘 드러내 주는 기호이다.

물론 이 오행의 관계성은 임의로 설정한 것이 아니라, 모두 자연 현상에 바탕을 두고 만들어졌다. 자연과 오행의 관계성을 드러내는 첫 번째 기호는 바로 생生이다. 생은 살려 주는 것으로, A가 B를 생한다면, B는 A의 기운을 받아 더욱 왕성해지는 것을 의미한다.

봄과 여름의 관계에서 확인할 수 있다. 봄이 있었기 때문에 여름이 존재할 수 있다. 봄이 봄의 역할을 제대로 해 줘야 여름이 여름다울 수 있다. 봄이 여름을 열어 주며, 봄에 싹이 올라와 줄기가 튼튼해졌기 때문에 여름에 식물이 왕성하게 성장할 수 있는 이치와 같다. 봄이 여름을 살려 주는[生] 것이다.

여름과 가을, 가을과 겨울, 겨울과 봄의 관계도 이와 같다. 이

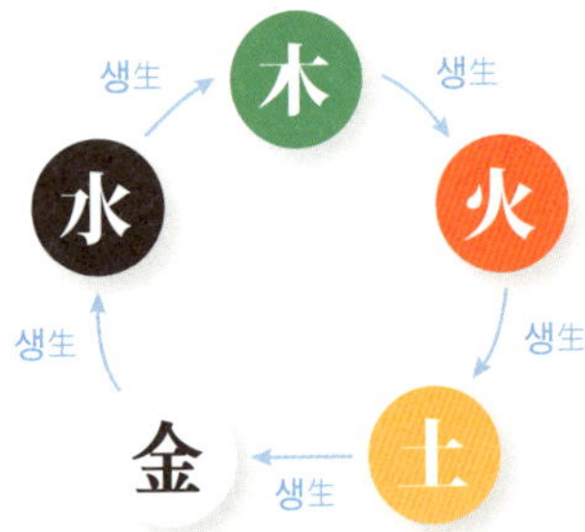

오행의 생하는 관계

전 계절은 다음 계절을 생해 주고, 다음 계절은 이전 계절의 도움을 바탕으로 제 기운을 발휘할 수 있다.

위의 그림에서 확인할 수 있듯이 마치 지구가 운행하는 것처럼, 계절이 순행하듯이 돌고 도는 관계가 바로 오행의 생하는 관계이다. 태어나고 나이를 먹고 병들고 죽는 생로병사의 자연스러운 순환이 곧 생의 관계성이라는 것을 확인할 수 있으며, 지구의 운행과 계절의 자연스러운 순환이 바로 생의 관계성이라는 사실도 확인할 수 있다.

이 관계를 잘 살펴보면, 좋은 기운도 나쁜 기운도 없음을, 모든 것은 돌고 돌아 제 위치로 오는 것임을 자연스럽게 깨닫게 된다.

극,
상대를 제어하는 것

자연과 오행의 관계성을 드러내는 두 번째 기호는 바로 극剋이다. 극은 제어하는 것으로, A가 B를 극한다면, B는 A의 제어를 받아 위축되는 것을 의미한다.

봄에 갑작스레 내리는 서리를 비유로 들 수 있다. 봄에 싹이 막 올라왔는데, 서리가 내린다면 새싹은 제대로 성장하기 어려울 것이다. 갑작스러운 제어의 작용으로 인해 위축되는 것, 서리가 내려 새싹이 냉해를 입는 것이 바로 극의 작용이다.

생은 목→화→토→금→수→목, 봄→여름→간절기(토)→가을→겨울→봄으로 연결되기 때문에 직관적으로 이해하기에 편하다. 하지만 극의 관계는 익숙하지 않기 때문에 하나씩 살펴보자.

목이 토를 극한다.=목극토=木剋土

• 물상적 해석: 나무는 흙을 기반으로 살아가지만 결국 흙의

양분을 흡수하여 흙을 빈곤하게 한다.

- 계절적 해석: 봄의 폭발적인 상승 기운이 수평을 이루려는 토의 중재 기운을 헤치고 솟아오른다.

토가 수를 극한다. = 토극수 = 土剋水

- 물상적 해석: 흙으로 제방을 쌓아 물을 가둔다.
- 계절적 해석: 아래로 아래로 침잠하려는 수의 기운을 토의 기운이 빨아들여 움켜쥔다.

수가 화를 극한다. = 수극화 = 水剋火

- 물상적 해석: 사방으로 요동치는 불을 물이 잠재운다.
- 계절적 해석: 한여름에 태풍이 불면, 여름은 잠시 그 기세가 수그러든다. 모든 수목과 과실은 큰 기후 변화에 영향을 받아 정상적인 성장을 방해받는다.

화가 금을 극한다. = 화극금 = 火剋金

- 물상적 해석: 뜨거운 불이 쇠를 녹인다. 쇠는 불에 의해 강건했던 형체가 부드러워진다.
- 계절적 해석: 서리가 내려야 할 때 서리가 내리지 않고, 찬 바람이 불어야 할 때 더위가 계속되면, 과수는 열매를 맺지 못한다.

금이 목을 극한다. = 금극목 = 金剋木

• 물상적 해석: 쇠도끼가 나무를 자른다.
• 계절적 해석: 봄에 갑자기 서리가 내린다. 모든 과수의 허리가 꺾이고 성장이 멈춘다.

물상적 해석은 오행을 "나무, 불, 흙, 쇠, 물"로 치환하여 해석한 것이다. 계절적 해석은 오행을 "봄, 여름, 간절기, 가을, 겨울"로 치환하여 해석한 것이다.

물상적 해석과 계절적 해석은 비유적인 표현으로만 받아들이는 것이 좋다. 오행의 목은 나무가 아니다. "목 = 나무"라는 물질에 초점을 맞추는 것보다 운동성에 초점을 맞추는 것이 좋다. 목은 약동하는 봄의 운동성을 의미한다. 봄바람에 마음이 설렌다면, 설레는 마음 자체가 목인 것이다.

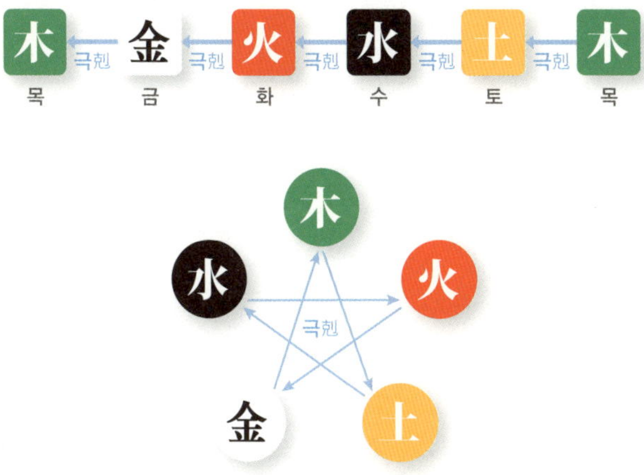

오행의 극하는 관계

극하는 관계도 생하는 관계와 마찬가지로 별표 모양으로 계속 돌고 돈다.

생의 흐름이 자연스러운 흐름이라면, 극의 흐름은 인위적인 흐름으로 볼 수 있다. 따라서 극의 관계에는 더욱 많은 에너지가 필요하다. 많이 소모된 에너지를 결국 생의 관계를 통해 충족할 수 있으니, 결국 극과 생은 서로 조화를 이루며 공존할 수 있다.

사주명리의 핵심은 생극의 조화

그렇다고 해서 생의 흐름이 꼭 좋은 것만은 아니다. 자연스럽고 순탄한 흐름은 평온함을 의미하지만, 평온함 속에는 나태와 지루함이 숨어 있기 때문이다.

평온함의 질서를 깨고, 에너지를 추동하는 것이 바로 극의 관계성의 매력이다. 즉, 생은 극으로 변화를 맞이하고, 극은 생으로 안정을 찾아간다고 볼 수 있다. 오행의 관계성 안에서도 기운의 주고받음이라는 음양의 이치를 찾아볼 수 있는 것이다.

앞에서는 생의 도표와 극의 도표를 따로따로 다루었지만 이제 두 도표를 합하면 다음 쪽과 같이 아름다운 그림이 나온다.

오행의 관계성인 생극이 주는 이치는 바로, 생과 극이 조화를 이루어야 한다는 점이다. 생만으로도 살 수 없고, 극만으로도 살 수 없다. 이런 생극의 기본 원리를 바탕으로 "변화와 균형, 나아감과 물러남, 도전과 방어"의 전략을 세울 수 있게 도와주는 것이 바로 사주명리 이론과 실제의 핵심이라고 할 수 있다.

오행의 생극

구체적으로는 생이 너무 넘쳐 우물쭈물 결단하지 못하는 사람에게 극의 방법과 방향을 알려 주고, 극이 많아 인생이 고달픈 사람에게 생의 방법과 여유를 불어넣어 주는 것이 사주명리 이론의 총체이다. 또한 생극의 조화가 개운(開運, 운이 트임)을 향한 방법론의 본질이다.

3장

천간,
순수한 하늘의 뜻

간지,
사주명리의 알파벳

의미 달력인 만세력의 기본 단위는 바로 간지이다.

간지는 천간 10개, 지지 12개의 조합으로 이루어져 있다. 첫 번째 천간과 첫 번째 지지가 순서대로 만나서 총 60개의 개별 간지가 탄생한다.

개별 간지가 네 개씩 모여서 하나의 시간 단위가 만들어지는

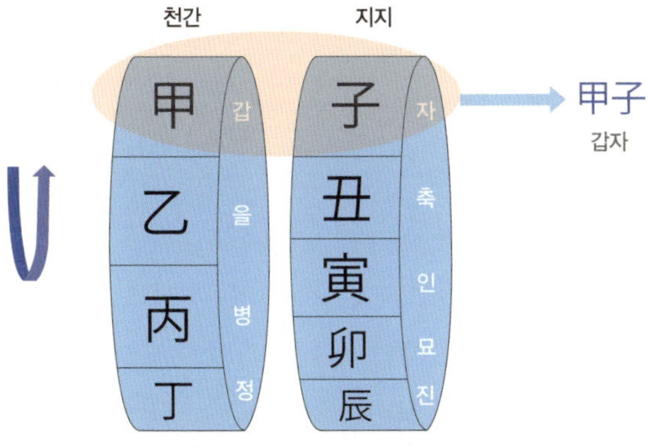

천간과 지지가 하나씩 만나 60개의 개별 간지가 탄생한다.

甲	乙	丙	丁	戊	己	庚	辛	壬	癸	甲	乙
子	丑	寅	卯	辰	巳	午	未	申	酉	戌	亥
갑자	을축	병인	정묘	무진	기사	경오	신미	임신	계유	갑술	을해
丙	丁	戊	己	庚	辛	壬	癸	甲	乙	丙	丁
子	丑	寅	卯	辰	巳	午	未	申	酉	戌	亥
병자	정축	무인	기묘	경진	신사	임오	계미	갑신	을유	병술	정해
戊	己	庚	辛	壬	癸	甲	乙	丙	丁	戊	己
子	丑	寅	卯	辰	巳	午	未	申	酉	戌	亥
무자	기축	경인	신묘	임진	계사	갑오	을미	병신	정유	무술	기해
庚	辛	壬	癸	甲	乙	丙	丁	戊	己	庚	辛
子	丑	寅	卯	辰	巳	午	未	申	酉	戌	亥
경자	신축	임인	계묘	갑진	을사	병오	정미	무신	기유	경술	신해
壬	癸	甲	乙	丙	丁	戊	己	庚	辛	壬	癸
子	丑	寅	卯	辰	巳	午	未	申	酉	戌	亥
임자	계축	갑인	을묘	병진	정사	무오	기미	경신	신유	임술	계해

60간지

데, 이 시간 단위는 각각 특별한 의미를 가지고 있다. 예를 들어 "임인년, 계묘월, 갑술일, 무진시"가 특별한 의미를 가지고 있고, "임인년, 계묘월, 갑술일, 기사시" 역시 고유한 자기만의 의미를 가지고 있는 것이다.

다시 말하자면, 숫자 달력은 순서에 관한 정보만 제공해 줄 뿐이지만, 의미 달력은 시간에 담긴 고유한 의미를 알려 준다. 이 의미를 잘 파악할 수 있다면, 우리는 각각의 시간이 어떤 의미로 우리에게 다가오는지 파악할 수 있는 것이다. 따라서 의미 달력인 만세력의 기본 단위인 간지의 의미를 파악하는 것은 사주명리 공부의 시작이자 끝이다.

공부의 시작은 간지부터지만, 모든 배움이 그렇듯이 공부의 끝도 역시 간지이다. 깊이 있는 통찰은 간지 공부의 깊이에서 비롯된다. 간지 의미를 꾸준히 탐구해 온 사람만이 자신만의 사주 해석을 세상에 내놓을 수 있는 것이다. 사주명리의 알파벳인 간지에 대해 하나씩 알아보자.

음양의 조화

간지는 천간과 지지로 구분되어 있다. 왜 하필 두 개로 나뉘어 있을까? 그냥 알파벳처럼 순서대로 1부터 60까지 60개로 구성하면 될 텐데, 왜 굳이 두 개로 나누어서 조합을 했을까?

이전 장의 내용을 잘 살펴본 분들은 알 수 있을 것이다. 이런 이중적인 구조는 바로 음양의 질서에서 비롯된 것이다. 갑자라는 간지를 예로 들어 보면, 갑자는 하나의 독립적인 단위이지만, 그 안을 자세히 살펴보면 천간과 지지의 조합으로 이루어져 있다. 즉, 갑과 자의 조합으로 하나의 독립적인 단위가 만들어지는 것이다.

아무리 독립적인 단위라고 하더라도 그 안에는 음양의 상호 작용이라는 질서가 녹아 있다는 것이 동양 사상의 핵심이고, 이 핵심을 그대로 드러낸 것이 바로 간지의 조합이다. 즉 갑은 양을 의미하고, 자는 음을 의미한다. 갑과 자의 상호 작용, 음양의 상호 작용이 갑자라는 하나의 완성된 기운을 만들어 내는 것이다.

갑은 갑 혼자서만은 절대로 존재할 수 없으며, 자는 자 혼자서만은 절대로 존재할 수 없다. 갑도 어떤 특정한 의미를 지니고, 자도 그렇지만, 실제로 갑과 자는 만나서 어우러져야 하나의 온전한 기운으로 힘을 발휘할 수 있는 것이다.

간지의 조합은 음양의 조화를 의미하며, 천간은 양을 의미하고, 지지는 음을 의미한다.

천간, 양간과 음간의 조화

천간이 양이라고 했다. 양은 즉 하늘이기 때문에 "천天"이라는 말이 붙어 있다. 천간은 10개의 요소로 구성되어 있다.

갑甲, 을乙, 병丙, 정丁, 무戊, 기己, 경庚, 신辛, 임壬, 계癸

천간 10개의 글자는 예로부터 순서를 나타낼 때 숫자 대신 쓰였으며, 근래에는 운전면허 시험의 선택지, 법조문에 등장하는 인물, 국회의원 지역구, 익명이나 가상의 인물을 표기할 때 주로 쓰인다.

갑甲

음양으로는 양, 오행으로는 목에 해당한다.

자연 현상인 계절로 보자면 '초봄'에 해당한다. 기운의 작용으로는 '거침없는 돌진과 상승'을 의미한다.

갑의 오행이 목이기 때문에, 오행의 이름을 결합하여 갑을 갑목이라고 부른다.

갑甲+목木=갑목

을乙

음양으로는 음, 오행으로는 목에 해당한다.

자연 현상인 계절로 보자면 '완연한 봄'이다. 기운의 작용으로는 '유연한 성장과 적응'을 의미한다.

을의 오행이 목이기 때문에, 오행의 이름을 결합하여 을을 을목이라고 부른다.

을乙+목木=을목

병丙

음양으로는 양, 오행으로는 화에 해당한다.

자연 현상인 계절로 보자면 '초여름'이다. 기운의 작용으로는 거침없는 '자기표현과 발산'을 의미한다.

병의 오행이 화이기 때문에, 오행의 이름을 결합하여 병을 병화라고 부른다.

병丙+화火=병화

정丁

음양으로는 음, 오행으로는 화에 해당한다.

자연 현상인 계절로 보자면 '완연한 여름'이다. 기운의 작용으로는 '자기 확신과 따뜻한 열정'을 의미한다.

정의 오행이 화이기 때문에, 오행의 이름을 결합하여 정을 정화라고 부른다.

정丁+화火=정화

무戊

음양으로는 양, 오행으로는 토에 해당한다.

자연 현상인 계절로 보자면 '늦여름'이다. 기운의 작용으로는 '끝없이 널리 펼쳐짐'을 의미한다.

무의 오행이 토이기 때문에, 오행의 이름을 결합하여 무를 무토라고 부른다.

무戊+토土=무토

기己

음양으로는 음, 오행으로는 토에 해당한다.

자연 현상인 계절로 보자면 '초가을'이다. 기운의 작용으로는 '터전을 마련하고 보호함'을 의미한다.

기의 오행이 토이기 때문에, 오행의 이름을 결합하여 기를 기토라고 부른다.

기己 + 토土 = 기토

경庚

음양으로는 양, 오행으로는 금에 해당한다.

자연 현상인 계절로 보자면 '완연한 가을'이다. 기운의 작용으로는 '자신을 다듬고 지키는 것'을 의미한다.

경의 오행이 금이기 때문에, 오행의 이름을 결합하여 경을 경금이라고 부른다.

경庚 + 금金 = 경금

신辛

음양으로는 음, 오행으로는 금에 해당한다.

자연 현상인 계절로 보자면 '늦가을'이다. 기운의 작용으로는 '완결의 절정, 예리함'을 의미한다.

신의 오행이 금이기 때문에, 오행의 이름을 결합하여 신을 신금이라고 부른다.

신辛+금金= 신금

임壬

음양으로는 양, 오행으로는 수에 해당한다.

자연 현상인 계절로 보자면 '초겨울'이다. 기운의 작용으로는 '느긋한 여유와 수용력'을 의미한다.

임의 오행이 수이기 때문에, 오행의 이름을 결합하여 임을 임수라고 부른다.

임壬+수水= 임수

계癸

음양으로는 음, 오행으로는 수에 해당한다.

자연 현상인 계절로 보자면 '늦겨울'이다. 기운의 작용으로는 '은밀함과 부드러운 감화력'을 의미한다.

계의 오행이 수이기 때문에, 오행의 이름을 결합하여 계를 계수라고 부른다.

계癸+수水= 계수

앞에서 천간 자체가 양을 의미한다고 했는데, 천간의 구성 요

소도 모두 각각 음양의 속성을 가지고 있다는 사실을 확인할 수 있다. 천간 중 양의 속성을 가진 천간을 양간이라 한다. 갑목, 병화, 무토, 경금, 임수가 양간이다. 반대로 음의 속성을 가진 천간을 음간이라 한다. 을목, 정화, 기토, 신금, 계수가 음간에 해당한다.

또한 천간은 오행의 속성도 가지고 있다. 갑목과 을목은 목, 병화와 정화는 화, 무토와 기토는 토, 경금과 신금은 금, 임수와 계수는 수이다.

이를 종합해 보면, 결국 열 개의 천간은 오행이 음양으로 분화된 기호라는 것을 확인할 수 있다. 5개의 오행이 음양으로 2개씩 나뉘어 10개의 천간을 구성하게 된 것이다.

이제, 각 천간의 특성을 하나씩 살펴보자.

갑목
甲

- 개요: 천간 중 첫 번째에 해당하는 간지.
- 특성: 양 / 목 / 초봄.
- 견고하고, 하늘을 찌를 듯이 웅장한 힘이다.
- 갑목은 저항을 뚫고 위로 솟구쳐 오르려는 기운이다.

갑목을 흔히 '굳은 나무'라고 하는데, 더욱 정확한 물상적인 표현으로는, 초봄에 언 땅을 뚫고 위로 솟구치는 나무, 중력을 거스르고 하늘로 솟구치며 성장하는 나무에 해당한다.

나무라는 형상보다 그 힘에 집중해야 하는데, 영어로 spring(봄)이라는 단어와 어울리며, 기호로는 위로 솟구치는 화살표 ↑에 해당한다.

솟구치는 진취적인 힘

태초의 시작을 알리는 첫 번째 간지인 갑목은 모두가 언 땅에 숨어 있을 때 혼자서 언 땅을 뚫고 올라오는 강한 힘이다. 강한 상승 작용을 하는 힘이기에, 갑목이 강한 사람은 당당하게 자신을 드러내길 원한다. 나서기를 좋아하고 전체를 대상으로 한번에 자신을 드러내 보이려는 욕망이 강하다. 불의에 저항하는 힘, 거침없이 손을 들고 발표할 수 있는 힘이 갑목의 힘이다.

용수철이 튀어 오르듯 위로 솟구치기에 갑목이 강한 사람은 일을 추진할 때 주저함이 없다. 진취적으로 밀고 나간다. 어떤 상황에서도 몸을 바로 세우고, 절대 굽히지 않는 태도는 갑목의 기본자세이다. 갑목의 힘이 강한 사람들은 "어떤 상황에서도 주눅 들지 말자"는 신조를 가지고 있는 경우가 많다.

하지만 이면을 보면 갑목이 강한 사람은 자만심이 있으며, 사건을 과장하는 습관과 허세에서 자유로울 수 없다. 또한 나서기를 좋아하기 때문에 적이 많고 손해를 감수해야 하는 경우가 많다.

약자를 보살피는 맏이의 리더십

갑목은 상대를 인정해 주고 배려하는 마음이 깊으며 특히 집단에서 약자를 잘 보살핀다. 기본적으로 약자에 대한 연민과 측

은지심을 가지고 있으므로 성과보다는 사람 중심으로 일을 한다. 갑목이 강한 사람은 약자를 도우면서 스스로 뿌듯함과 자부심을 갖는다.

갑목은 열 개의 천간 중 첫 번째 간지답게 리더십을 의미하는 힘이기도 하다. 갑목의 힘이 발휘하는 리더십은 젊음의 리더십, 패기의 리더십, 즉 형님, 언니의 리더십이다. 넘치는 열정과 파이팅, 고난과 역경을 온몸으로 이겨 내는 맏이의 리더십으로 조직은 생동한다.

하지만 인정에 약하고 약자의 편을 들기 때문에 갑목의 힘이 강한 사람이 조직의 리더가 되면, 형평성에 문제가 생기고 갈등이 잘 조율되지 않는다. 또한 갑목의 리더십은 효율을 중시하지 않기 때문에 눈에 보이는 성과를 내야 하는 조직과는 어울리지 않는다.

약자와의 관계는 갑목의 힘이 강한 사람이 꼭 풀어야 할 과제다. 하염없이 약자에게 손을 내밀다가 결국은 약자들로부터 스트레스를 받기 때문이다. 갑목의 힘이 강한 사람들이 가장 싫어하는 것이 얽히고설킨 인간관계인데, 이런 관계에서 탈출하기 위해 스스로 고립되는 경우도 많다.

또한 갑목의 리더십은 패기와 생동감은 있지만 고난을 버티는 능력이 약하다. 순수함과 열정은 있지만 길게 끌고 나가는 끈기가 부족해 조직을 큰 조직으로 발전시키기는 어렵다.

용두사미

갑목은 시작과 성장의 힘이다. 소녀, 소년의 순수한 생동력에서 출발하는 갑목의 힘은 무에서 유를 창조하는 힘이다. 세상에 대한 관심과 호기심으로 새로운 일을 창조하는 시작의 힘은 갑목의 소중한 정체성이다.

또한 갑목은 쉼 없이 배우고 성장하려는 힘이다. 끊임없이 새로운 것을 배우고 탐구하는 열정이 없다면 갑목이라고 할 수 없다.

시작과 성장에 대한 독보적인 열정은 기획력으로 빛을 발한다. 스케줄을 짜고, 계획을 세우는 데 있어서는 갑목의 힘을 따라갈 수가 없다. 갑목의 시원시원한 일정표는 따르는 사람들을 미소 짓게 한다.

하지만 하나를 얻으면 하나를 버려야 한다. 강점이 존재하면, 그 강점으로 인해 단점이라는 그림자가 생기는 법이다. 갑목이 강한 사람은 시작의 힘이 강하기 때문에 마무리는 약할 수밖에 없다. 마무리에 약한 것이 아니고 끝맺는 것에 관심 자체가 없다. 어떻게 정리하고 끝내야 하는지에 대한 감각이 부족하다. 또한 지속성이 부족하여 용두사미로 끝나는 일이 많고, 결정적인 순간에 마음이 흔들려 실속을 차리지 못하는 경우도 많다.

자수성가, 개척자

갑목이 강한 사람은 누가 건드는 것, 참견하는 것을 귀찮아한다. 간섭을 싫어한다. 독립심이 강하고, 누가 도움을 주면 자존심이 상한다. 특히 윗사람의 도움을 꺼리며 "내가 알아서 할게"라는 말을 입에 달고 산다. 따라서 갑목의 힘은 자수성가와 관련이 깊다.

갑목의 힘은 인정 욕구와도 관련이 깊다. 초봄의 생동력을 품고 앞으로 나아가는 독보적인 힘이므로 그만큼 주목받아야 직성이 풀린다. 남들이 가지 않는 길을 혼자 개척했기 때문에 그만큼의 자부심과 명예심을 품고 사는 것이 갑목이 강한 사람의 삶이다. 개척자의 긍지를 가슴에 품고 시련을 버티는 사람이 많다.

갑목의 강한 추진력은 깨부수고 극복하는 것에는 최적화되어 있지만, 길게 이어 가는 것에는 단점을 드러낸다. 초반에 힘을 몰아서 쓰면 뒤로 갈수록 힘이 빠지는 이치와 같다. 그래서 장기적으로 꾸준히 이어 가는 일에는 어울리지 않는다.

이는 유연성이 부족하기 때문으로도 볼 수 있다. 돌파력을 얻은 대신 유연성을 포기한 것이 갑목의 힘이 가지는 포인트다. 유연함이 떨어지기에 자잘한 스트레스에 대응하는 능력이 떨어진다. 아니, 스트레스에 대응하는 것이 아니라, 그냥 맞고 서서 버티는 것이 갑목의 정체성이다. 따라서 갑목이 강한 사람이 힘든 일을 오래하고 있다면 홀로 상처를 안고 버티는 상황으로 볼 수 있다. 머지않아 본인이 쓰러지거나 순간적으로 모든 일을 던지고 잠적할 여지가 있다. 상처받은 고목은 일순간에 꺾이는 법이다.

삶의 대전환

봄의 생동력은 생명과 삶에 대한 순수한 관심으로 연결된다. 또한 세상을 향한 호기심과 갑목 특유의 인간애는 인문학적 역량으로 드러난다. 따라서 갑목의 힘은 순수 예술, 인문학, 교육 방면과 밀접한 관련이 있다.

갑목은 천간의 시작 글자이자, 만물의 시작을 알리는 힘이다. 따라서 늘 새롭고 낯선 것과 연결된다. 즉흥적 여행, 삶의 방향의 전환과 관련이 있다. 이를 근거로 대운•에서 갑목의 운이 오면 삶의 대전환이 일어난다고 보기도 한다.

• 사주에 적용되는 운의 단위로, 10년을 주기로 바뀌어 들어온다. 가령 어떤 사주에서 올해 갑자의 대운이 시작되었다면, 10년 후에 을축 대운이 시작된다.

갑목의 힘이 강한 사주

태어난 해의 간지를 연주, 태어난 월의 간지를 월주, 태어난 일의 간지를 일주, 태어난 시의 간지를 시주라고 한다. 이렇게 하나의 사주는 네 개의 주(기둥)로 이루어져 있고(사주), 세부적으로는 여덟 개의 기운(하나의 주는 천간과 지지로 나뉘므로)으로 구성되어 있다(팔자). 그래서 태어난 날의 기운을 여덟 글자로 표현한 것을 사주팔자라고 한다.

태어나 해의 천간을 연간, 태어난 해의 지지를 연지라 하고, 태어난 달의 천간은 월간, 태어난 달의 지지는 월지라고 한다. 태어난 날의 천간은 일간, 태어난 날의 지지는 일지다. 태어난 시의 천간은 시간, 태어난 시의 지지는 시지다.

	시간	일간	월간	연간
	시주	일주	월주	연주
천간	壬 임	甲 갑	甲 갑	癸 계
지지	申 신	子 자	寅 인	亥 해
	시지	일지	월지	연지

태어난 날의 천간, 즉 일간은 다른 일곱 글자를 이끄는 주체가 되기 때문에 특별하게 본원, 일원, 명주 등으로 표기하기도 한다.

태어난 날의 천간, 즉 일간이 갑목일 경우, 본질적으로 갑목의 정체성을 갖고 태어났다고 본다. 갑목 일간은 평생 갑목의 이상을 향해 나아간다.

갑목의 힘이 강한 사주는 갑목이 일간이며, 주변•에 일간인 갑목의 기운을 도와주는 수 기운과 목 기운이 많은 경우를 말한다. 아래 예를 보면 일간의 바로 옆 월주에 목 기운[甲]이 존재하고, 시간[壬]과 일지[子]를 수 기운이 차지하고 있기 때문

	시주	일주	월주	연주
천간	壬 임	甲 갑	甲 갑	癸 계
지지	申 신	子 자	寅 인	亥 해

• 여기서 주변이라는 것은 엄밀히 따지면 일간의 좌우와 아래를 의미하고, 조금 넓게는 대각선 아래도 의미한다. '주변'이라는 개념은 2권에서 자세히 다룰 예정이다.

에, 이 사주는 갑목의 특성이 강하게 드러난다.

잠깐, 여기서 일지의 자子가 왜 수 기운인지 궁금해할 분이 있을지 모르겠다. 앞에서 천간을 설명할 때 천간 10개를 오행으로 나누었다. 갑을은 목, 병정은 화, 무기는 토, 경신은 금, 임계는 수 기운이다. 오행의 색은 목은 초록색, 화는 붉은색, 토는 황토색, 금은 흰색, 수는 검정색이다.

이제 지지 표를 다시 보자. 자는 검정색으로, 수 기운이다.

지지

참고로 이후의 글에서 '을목이~'처럼 간지를 주어로 하는 표현이 등장하면, 을목의 힘이 강한 사람이라고 해석하면 되겠다.

을목
乙

- 개요: 천간 중 두 번째에 해당하는 간지.
- 특성: 음 / 목 / 완연한 봄.
- 부드럽고 유연하며 강하게 확장하는 힘이다.
- 을목은 옆으로 퍼지는 기운이다.

갑목이 저항을 뚫고 위로 올라가는 맹목적인 힘이라면, 을목은 옆으로 완연하게 퍼지는 힘이다. 화살표의 방향이 '↑'에서 '←, →'으로 바뀌는 것이다.

을목의 성질을 가장 잘 표현할 수 있는 물상이 덩굴식물이다. 걸림돌을 만나면 옆으로 퍼져 나가며 자신의 영향력을 확장하는 덩굴식물의 모습은 을목의 정체성을 잘 보여 준다.

덩굴식물의 힘

갑목과 을목은 모두 오행 목에 해당한다. 다른 점은 갑목이 양의 기운을 가지고 있고, 을목이 음의 기운을 가지고 있다는 점이다. 즉 둘은 본질은 같지만, 표현 양상이 다르게 나타난다고 볼 수 있다. 하나는 양의 방식으로 인해 겉으로 드러내고 발산한다면, 다른 하나는 음의 방식으로 인해 안으로 숨어들고 수렴한다고 볼 수 있다.

갑목과 을목의 공통점과 차이점을 견줘 가며 살펴보면 오행의 공통점과 음양의 차이에 대해 이해할 수 있을 것이다. 나머지 다른 간지들도 마찬가지이다.

을목 역시 갑목처럼 진취적인 힘을 가지고 있다. 갑목의 힘이 튀어 오르고 돌파해 내면서 앞으로 나아가는 것이라면, 을목의 힘은 주변을 하나씩 장악해 가면서 옆으로 퍼져 나가는 힘이다.

갑목은 땅을 뚫고 중력을 거슬러 위로 올라온다. 걸림돌이 나타나면 정면 돌파한다. 논리와 말로 상대방과 정면으로 겨뤄 굴복시키려 든다. 하지만 을목에게 걸림돌이 나타나면? 걸림돌에 착 달라붙어 걸림돌과 하나가 된다. 그리고 그 걸림돌을 타고 넘는다. 환경을 이용하고 극복하는 유연한 진취성은 을목이 가진 최고의 덕목이다.

갑목의 진취성이 그대로 돌진하여 적의 왕을 공격하는 직선적이고 저돌적인 방식이라면, 을목의 진취성은 적의 약점을 파고들어 적을 서서히 무너뜨리는 유연한 방식이다. 따라서 자신을 드러내고 사안을 선점하려 하는 것에서는 갑목과 같지만, 행동 양식이 판이하게 다르다. 주변을 잘 관찰하고, 환경과 사람을 이용해 자신의 목소리를 내는 것이 을목의 방식이다.

갑목의 좌우명이 "주눅 들지 말자"라면, 을목의 좌우명은 "하나를 주고 둘을 얻는다"이다. 을목은 유연하게 상황을 장악한다. 그리고 스며들 듯 영향력을 확장한다.

공정한 도움

갑목이 약자를 보살피는 것은 일종의 충동적인 감정에서 비롯된다. 순간적으로 연민의 감정이 솟구치면, 그것을 참아 넘기지 못해서 손을 내미는 것이 갑목의 리더십이다. 기본적으로 다른 이익이나 주변 환경은 고려하지 않는다.

을목 역시 약자에 관심이 많고, 기본적으로 소외된 사람들을 향한 따뜻한 마음을 품고 있다. 하지만 약자를 보살피는 방식에서는 갑목과 차이가 있다. 을목은 조직과 주변 환경의 상황을 판단하고 약자를 돕는다. 무리하지 않고 적재적소에 배치하는 합리적인 방식으로 약자를 도우려 노력한다. 이 노력은 현실적이고 조직의 이익에 반하지 않아서 지속적으로 이어질 수 있다. 평등하고 공정하게 자신이 줄 수 있는 만큼의 도움을 주기 때문에 을목이 발휘하는 리더십은 조직의 융화와 발전에도 큰 도움이 된다.

하지만 이런 인간적이면서도 실속 있는 리더십은 부족한 것을 조금씩 채우는 방식이라서 조직의 폭발적인 성장을 이끌어낼 수는 없다. 또한 줄 수 있는 만큼만 주는 합리적인 베풂의 리더십으로는 인기를 끌기가 어렵다. 뒤에서 욕을 할지언정 사람들은 갑목의 거침없는 리더십에 일단은 박수를 보내기 마련이다.

부족한 결단력

을목 역시 시작과 성장의 힘이다.

갑목이 무에서 유를 창조하는 힘이라면, 을목은 아이디어를 내고 정교하게 다듬는 힘이다. 세상에 대한 진심 어린 애정을 바탕으로 새로움을 향해 정진하는 힘은 을목의 자랑이다.

갑목이 새로운 것을 탐구하는 데 치중한다면, 을목은 이미 발견한 것을 가지고 지속적으로 발전시키는 것에 장점이 있다. 완연한 성장과 발전은 을목의 가장 큰 덕목이다.

을목의 기획력은 꼼꼼함과 세심함으로 인해 빛난다. 아이디어를 내는 데서 그치지 않고 그 아이디어를 실행 가능하게 조율하고 조곤조곤 사람들을 설득하는 것은 을목이 가장 잘하는 일이다.

갑목은 마무리를 잘하고 싶어도 그 방법을 모른다면, 을목은 마무리하는 법은 잘 알고 있지만 결단력이 부족해서 일을 제대로 끝맺지 못하는 경우가 많다. 여러 이해관계를 조율하고 조정하느라 제대로 결과를 내지 못하는 것이다. 욕먹을 것을 각오하고 과감하게 버려야 할 것을 버릴 때 을목은 한 단계 성장할 수 있다.

끈기의 아이콘

을목은 혼자 있는 것을 싫어한다. 항상 다른 사람과의 관계에서 자신을 드러내고자 하며, 특히 줏대가 강한 사람이나 힘이 있는 조직에 기대서 자신의 역량을 발휘하려고 한다. 스스로 전면에 나서기보다는 누군가를 딛고 올라서고, 이용해서 실속을 취하는 것에 관심이 있기 때문에 누군가 먼저 나서 주기를 바라는 것이 을목의 심리이다. 윗사람이나 주변 사람의 도움을 반기며, 처음에는 고난을 겪지만 결국 잘 살게 되는 것이 을목의 삶이다.

을목은 인정보다도 실속에 관심이 많다. 일확천금보다는 일상에서 꾸준히 노력해 창고를 채워 가는 재미로 살아가는 것이 을목이다. 인정을 받지 못하더라도 실속을 챙길 수 있다면 자신을 드러내지 않고 묵묵히 궂은일을 할 수 있는 것이 을목이다. 주변에서 눈앞의 작은 이익에 연연하는 을목을 발견할 수 있는데, 작은 것을 착실히 쌓아야 크게 이룰 수 있다는 성실하고 꾸준한 태도가 드러난 것이다.

을목의 단점이 과감함이 부족한 것이라면, 최고의 장점은 끈기가 있다는 점이다. 을목은 하루하루를 허투루 보내지 않는다. 작은 일이라도 날마다 조금씩 성실하게 해내는 것이 을목이다. 조금씩 자라나 마침내 건물 전체를 장악하는 덩굴식물처럼 을목은 꾸준히 끈기 있게 자신의 영토를 확장한다. 죽어도 죽지 않는 끈기와 생명력, 일상에서 만들어 낸 리듬으로 결국 끝까지 살아남는 것이 을목이다.

교육자의 힘

갑목과 마찬가지로 을목 역시 인문학적인 능력이 탁월하다. 갑목의 인문학이 새로움을 탐구해 나가는 독창적인 방식이라면, 을목의 인문학은 기존의 것을 친절하게 정리하고 설명하는 해설자 방식이다.

을목은 앞장서서 드러내는 것에는 한계가 분명하다. 자신의 감정을 겉으로 드러내는 것에도 서툴러서 가슴속에 응어리를 담고 사는 경우가 많다. 평소에 적극적으로 자신을 표현하는 것이 필요하다.

을목의 인간적인 면모와 성실함, 끈기는 교육자적인 자질과 관련이 깊다. 따라서 교육계에 종사하는 사람이 많다.

을목의 힘이 강한 사주

태어난 날의 천간, 즉 일간이 을목일 경우, 본질적으로 을목의 정체성을 갖고 태어났다고 본다. 을목 일간은 평생 을목의 이상을 향해 나아간다.

일간인 을목의 주변에 수 기운과 목 기운이 많다면 일간은 수 기운과 목 기운의 도움에 힘입어 강한 힘을 갖게 된다. 아래의 예를 보면, 일간의 바로 아래 일지에 목 기운[卯]이 존재하고, 시지에 수 기운[亥], 월지에 목 기운[寅]이 자리하고 있기 때문에, 을목의 특성이 강하게 드러난다.

	시주	일주	월주	연주
천간	丁 정	乙 을	庚 경	辛 신
지지	亥 해	卯 묘	寅 인	酉 유

병화
丙

- 개요: 천간 중 세 번째에 해당하는 간지.
- 특성: 양 / 화 / 초여름.
- 맹렬하게 이글거리는 기운이다.
- 병화는 사방으로 거침없이 발산하는 기운이다.

병화의 물상은 태양으로 볼 수 있고, 지속적으로 끊임없이 발산하려는 것이 병화의 본질이다. 높이 떠서 멀리 비추는 것이 병화의 핵심이다. 속이 텅 빈 상태에서 거침없이 밖으로만 쏟아내는 에너지다. 기호로 보면 아래에 해당한다.

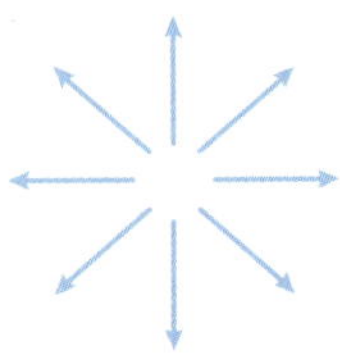

태양의 힘

병화의 가장 두드러지는 특징은 높이 떠서 멀리 비춘다는 것이다. 10개의 천간 중 가장 강한 양의 기운답게 밝은 기운으로 많은 사람의 주목을 한꺼번에 받는 것이 바로 병화의 기운이다.

활발하고, 뜨겁고, 진취적인 성향으로 대중의 주목과 인기를 한꺼번에 받는 것이 병화의 특성이다. 높게 뜬 태양이 모든 사람의 이목을 끌듯이, 무대에 올라 주목을 받는 힘이 병화의 본질이다.

대의를 위한 투신

병화는 곧 인사성을 의미한다. 인사성이 바르지 않은 병화는 병화라고 할 수 없다. 그만큼 타인에 대한 기본적인 예의를 갖춘 것이 병화의 기본자세이다. 병화의 예의는 위와 아래를 엄격하게 구분하는 예의이다. 윗사람에게는 깍듯하고, 아랫사람에게 권위를 발휘하는 것이 병화이다.

병화는 밝음으로 세상을 구제하는 의미를 담고 있다. 세상의 어둠을 밝히고, 시시비비를 명백하게 밝히는 것이 병화의 사명이다. 대의와 공익을 위해 희생해야 한다면, 뒤도 돌아보지 않고 투신하는 것이 병화이다. 어둠과 불의를 참지 못하는 것이다.

반성의 부재

병화는 열 개의 천간 중에서 가장 화끈한 양의 기운이다. 화끈하고 거침없는 기운을 의미한다. 기본적으로 명랑하며 열정과 자신감이 넘친다. 밖으로 튀어 나가는 기운이 강하기에, 급하고 활달하고 활동력이 강한 성격의 사람이 많다. 대인 관계에서도 낯선 사람과 교류하는 데 거리낌이 없으며, 사교적이고 친화적이다. 우울한 사람들에게 병화는 생명수와 같다.

자기 위주로 삶의 방향을 결정하고, 배짱이 있으며, 언제나 내가 왕이라는 당당함이 있다. 시원시원하게 의견을 표현하고, 돌려 말하기보다는 단순하게 직설적으로 말한다. 리더십이 강하고, 무슨 일을 진행하든 거침이 없다. 일을 할 때 추진력이 강하고 생각과 행동의 속도가 빠르다. 또한 뒤끝이 없는 것이 병화의 성격이다. 자잘한 실수에 연연하지 않는다.

병화는 끝없이 발산하는 기운이다. 에너지 방향이 항상 바깥을 향해 있기 때문에 수용하는 측면에서는 약점이 있다. 남의 말을 귀 기울여 듣지 않고, 뒤를 돌아보지 않는다. 반성하지 않기 때문에 똑같은 실수를 매번 반복한다. 또한 겉으로 드러나는 감정의 변덕이 극심한 것이 병화의 특징이다. 기분이 좋을 때와 좋지 않을 때의 감정 변화가 그대로 표정과 태도로 드러난다.

냉정한 판단력 필요

들판을 가로질러 영향력을 확장하려는 기마 민족의 기상은 병화의 기운과 닮았다. 병화는 앞뒤 재지 않는 맹목적인 몰두와 전진의 기상이 특징이다.

또한 병화는 용광로가 모든 것을 녹여 버리듯이 모든 영토의 구분을 녹여 버리는 혼돈의 본능을 갖고 있다. 낯선 것을 한데 섞어 뭉치고 융화시켜 버린다. 구분을 없애고, 모든 것을 하나로 통합한다. 대의적으로 올바르고 밝고 명랑한 황제가 지배하는 세상에서 모든 자잘한 질서와 사사로운 의견은 받아들여지지 않는다. 중요한 것은 확장, 통합, 충성이다.

황제가 발휘하는 통합과 재편의 리더십은 세상을 바꾸려는 혁명적인 에너지로 드러난다. 여기에 고민하지 않고 행동으로 옮기는 성향이 더해지기 때문에 유독 사회, 정치 분야에 투신하는 사람 중에 병화가 많다. 세상을 싹 바꿔 버리고 싶은 욕망으로 뛰어드는 것이다. 병화의 진취적인 도전 정신은 삶을 다이내믹하게 하고 주변을 시끌벅적하게 만든다. 사건, 사고와 재미가 늘 따라다니는 것이 황제의 삶이다.

병화는 늘 발산하려는 탓에 체력 관리에 어려움을 겪으며, 싫증과 포기가 빠르다. 빠르게 타올랐다가 빠르게 식는다. 당연히 마무리에는 약할 수밖에 없다. 또한 병화의 최대 단점은 냉정하게 사건을 파악하지 못하는 데 있다. 달아오르는 환희로 인해 눈앞의 덫을 보지 못한다. 지도(map)나 시계에 별 관심이 없어 체계나 계획을 세우는 것에도 약하다.

칭찬에 약하고, 권력 지향

병화는 새로운 것과 화려함을 좋아해서 외관을 치장하는 것에 관심이 많다. 늘 새로운 물건을 사려 하고 사 놓고는 금방 싫증을 낸다. 하지만 집착과 소유욕이 강해서 쓰지 않는 물건인데도 절대 버리지 않는다.

모든 것을 빨리 이루려는 성향 탓에 타인을 괴롭힌다. 극도의 조급함이 있어 상대방에게 즉각적인 반응을 얻어 내야 직성이 풀리는 것이다.

권력 지향적이며, 한번 권력을 잡으면 남의 의견을 잘 듣지 않는다. 칭찬에 굉장히 약한 것도 병화의 특징이다.

병화의 힘이 강한 사주

태어난 날의 천간, 즉 일간이 병화일 경우, 본질적으로 병화의 정체성을 갖고 태어났다고 본다. 병화 일간은 평생 병화의 이상을 향해 나아간다.

일간인 병화의 주변에 목 기운과 화 기운이 많다면 일간은 목 기운과 화 기운의 도움에 힘입어 강한 힘을 갖게 된다. 아래의 예를 보면, 일간의 바로 옆인 시간에 목 기운[甲]이 자리하고 있고, 일간의 아래인 일지, 월지, 시지에 나란히 화 기운[午, 巳]이 자리하고 있기 때문에, 이 사주는 병화의 특성이 강하게 드러난다.

	시주	일주	월주	연주
천간	甲 갑	丙 병	癸 계	辛 신
지지	午 오	午 오	巳 사	酉 유

정화
丁

- 개요: 천간 중 네 번째에 해당하는 간지.
- 특성: 음 / 화 / 완연한 여름.
- 지상에 더운 기운이 가득 차 있는 상태다.
- 정화는 주변을 강렬하게 데우는 기운이다.

정화는 멀리 뻗어 나가지는 않지만 병화보다 더 더운 기운으로 열기를 발산한다. 구체적인 열로, 만물의 상태를 변화시키고 생명력을 부여하는 중요한 역할을 담당한다. 병아리를 부화시키는 것은 햇빛이 아니라 어미의 체열이다.

가까운 곳을 비추는 '촛불', '달빛', '조명'이 정화의 특성을 잘 드러내는 물상이다. 기호로 보면 옆쪽에 해당한다.

온기의 힘

정화의 가장 두드러지는 특징은 온기로 주변을 평안하게 한다는 점이다. 10개의 천간 중 병화가 가장 밝은 기운이라면, 정화는 따뜻하고 충만한 열기로 가득 찬 기운이다. 정화는 주변 사람들에게 온기를 베푸는 의미가 강하다.

다정하고, 열정적이고, 온화한 성향으로 주변인의 아픔을 보살피는 것이 정화의 특성이다. 난로 주변의 온기가 집 안에 평안을 가져다주듯이, 주변의 사람들에게 지치지 않는 애정을 주는 것이 정화의 본질이다.

예의의 아이콘

정화는 곧 형식을 의미한다. 형식과 절차에 따른 도의를 다하지 않는 정화는 정화라고 할 수 없다. 병화가 눈에 보이는 인사에 치중한다면 정화는 규범, 도덕적 형식을 중요시한다.

속마음은 어떻든 일단은 형식적인 예의를 갖추어야 한다는 것이 정화의 핵심이다. 법도와 예절에 맞게 행동해야 하며, 받는 만큼 베풀어야 하는 것이 정화의 기본자세이다.

정화는 열기로 세상을 치유하는 의미를 담고 있다. 주변의 아픔을 보살피고, 지속적이고 살가운 관심을 주는 것이 정화의 사명이다. 주변 사람이 아프거나 곤경에 처했다면, 시간을 쪼개서라도 헌신하는 것이 정화이다. 정화는 희생이라는 단어도 좋아하지 않는다. 사람이라면 마땅히 해야 할 일을 할 뿐이다. 그만큼 정화의 마음속에서 윤리적 규범은 중요하게 작동한다.

잠재된 내면의 화

병화가 온 천지에 멀리까지 빛을 뿜어 대는 기운이라면, 정화는 현실적이고 실속 있는 열이다. 지치지 않고 지속적으로 영향을 미치는 강한 기운이다. 꼭 필요한 곳, 추운 곳에서 따뜻한 열을 내는 존재이기에 오히려 병화보다 명랑하고 밝아 보이는 사람이 많다. 특히 사람을 대할 때 밝고 친절하고 따뜻하다. 상대방을 배려하는 자세를 바탕으로 은근하고 기분 좋은 명랑함을 전파한다.

정화도 기본적으로 자신감이 강한데, 병화의 자신감이 어느 누구 앞에서나 주눅 들지 않는 자신감이라면, 정화의 자신감은 본인이 베푼 만큼 영향력을 발휘할 수 있다는 자신감이다. 즉 병화의 자신감이 대중을 향한다면, 정화의 자신감과 당당함은 주변인을 향해 있다. 정화의 리더십은 주변을 아우르는 리더십인데, 주변이 동의한다면 속전속결로 일을 처리해 버린다.

정화는 배려와 예의의 아이콘이지만 내면에는 다혈질적인 화의 본성이 잠재되어 있다. 자기중심성이 강하며 겉과는 다른 강한 끼와 욕망이 내면에서 불타고 있다. 내면에서 활활 타오르는 불이 정화의 삶을 이끌어 가는 원동력이지만, 일이 풀리지 않으면 이 불은 화병의 원인이 된다.

상담사, 사회 복지사

성곽을 보수하며 안정을 다지는 성주는 정화의 본질과 닮았다. 더 이상의 확장은 의미가 없다. 이미 충분한 영토를 확보했다. 이제는 성을 쌓고, 이민족을 흡수하면서 안정을 취해야 한다. 정화는 안정과 포용의 기상을 가지고 있다.

성 안에 들어온 사람들을 치유·보호할 의무를 가지고 있으며, 규범과 예의로 사람들을 교화하는 것이 정화의 리더십이다. 상처받은 자를 치유하고, 법도에 어긋나는 자를 처벌한다. 함께 살아가기 위해 규범을 만들고 강제한다. 법도를 수호하는 온화한 황제가 지배하는 세상에서 배은망덕과 일탈은 받아들여지지 않는다. 중요한 것은 수용, 배려, 역할 분담이다.

정화는 기본적으로 치유와 깊이 관계되어 있고, 희생과 봉사의 따뜻한 마음을 의미한다. 파인 곳을 메우고, 어둠을 밝히는 것이 정화의 사명인 것이다. 따라서 상담이나 복지 쪽에 투신하는 사람 중에 정화가 많다. 자신의 열기로 다른 사람을 보살펴

사회에 기여하려는 것이다.

정화는 세상의 규범이 올바로 서는 것에 관심이 많다. 모두가 합리적인 마인드로 규범을 지킨다면 행복할 수 있다고 여긴다. 하지만 불합리한 체제의 개선에 목소리를 높이고 예의에 과민 반응을 보여, 소집단에서 마찰을 겪는 경우가 많다. 예의를 지키지 않는 사람을 참을 수 없어 폭발하는 것이다.

주변인과의 관계는 정화가 풀어야 할 숙제이다. 정화는 주변인에 대한 애정과 희생을 당연하게 생각하지만, 주변인의 경우 정화로부터 받는 것을 당연시한다. 이로 인해 관계에 문제가 생긴다.

또한 정화는 주변인을 통해 세상과 교류하기 때문에 주변인의 주장에 쉽게 동화되고 잘 속아 넘어간다. 믿었던 주변인에게 배신당할 위험을 안고 있는데, 상대방의 검은 속내를 알면서 속아 주는 것도 정화의 특징이다.

가장 참을 수 없는 '비교'

병화가 권력을 쟁취하려는 힘이라면, 정화는 권력을 수호하는 힘이다. 본인이 앞에 나서기보다 정교하고 구체적으로 권력을 행사하는 것에 어울린다. 중간 관리직에 어울리는 힘이며, 조직에서 진정한 실력자로 활약하는 경우가 많다.

정화가 가장 참을 수 없는 일이 바로 남과 비교당하는 것이다. 겉으로는 드러내지 않지만 실제로는 내가 가장 멋있고 잘났다는 마음을 품고 있기 때문이다. 늘 세상의 요구에 헌신한다고 자부해 비교당하는 일을 더 참기 어려워하는 것이다. 그만큼 질투심이 강하다고도 볼 수 있는데, 이 강한 질투심을 생활 속에서 잘 승화시키는 것이 중요하다.

정화는 타인에게 예의를 강요하려는 본능이 있어 이로 인해 갈등을 빚을 수 있다. 지나치게 사회적 시선을 의식하기 때문에 우유부단한 타입이 많으며, 주변인을 챙기느라 진짜 자신이 챙겨야 할 사람을 챙기지 못하는 경우도 많다.

정화의 힘이 강한 사주

태어난 날의 천간, 즉 일간이 정화일 경우, 본질적으로 정화의 정체성을 갖고 태어났다고 본다. 정화 일간은 평생 정화의 이상을 향해 나아간다.

일간인 정화의 주변에 목 기운과 화 기운이 많다면 일간은 목 기운과 화 기운의 도움에 힘입어 강한 힘을 갖게 된다. 아래 예를 보면, 일간의 바로 양쪽과 아래에 목 기운[乙, 卯]이 자리하고 있고, 시지에 화 기운[巳], 월지에 화 기운[巳]이 자리하고 있기 때문에, 이 사주는 정화의 특성이 강하게 드러난다.

	시주	일주	월주	연주
천간	乙 을	丁 정	乙 을	丁 정
지지	巳 사	卯 묘	巳 사	巳 사

무토
戊

• 개요: 천간 중 다섯 번째에 해당하는 간지.
• 특성: 양 / 토 / 늦여름.
• 만물을 포용하는 드넓은 힘이다.
• 무토는 넓게 깔려 사방으로 뻗쳐 나가는 힘이다.

무토를 보통 넓은 땅이라고 하는데, 끝이 보이지 않는 광활한 대륙을 의미하는 힘이다. 절정에 다다른 양기가 넓게 깔려 사방으로 뻗쳐 나가는 힘이다.

단순히 땅이라는 물상보다 땅의 힘에 집중해야 하는데, 모든 것을 담기 위해 끊임없이 옆으로 퍼져 가는 기운이 무토의 본질이다. 기호로는 다음에 해당한다.

스케일만큼 큰 허풍

양기는 병화의 단계에서 극에 이르고, 정화의 단계에 오면 강하게 뭉친다. 뭉친 양기는 바야흐로 무토의 단계에 이르러 사방으로 흩어진다. 얇고 넓은 것 가리지 않고 영역을 확장하고 보는 것이 무토의 본질이다. 구체적인 물상으로는 개간되지 않은 황무지, 드넓은 사막을 의미한다.

척박하고 드넓은 땅을 관장해야 하는 무토는 기본적으로 배포와 스케일이 크다. 따라서 세상 모든 만물에 관심이 많고, 특히 대인 관계를 지속적으로 확장하려는 것이 무토의 특징이다. 관리할 수는 없지만 일단은 넓은 영역을 확보해야 직성이 풀린다. 끝없이 퍼져 나가려는 열망은 무토를 가장 잘 설명하는 단어이다.

무토의 긍지는 내가 모든 것을 알고 있고, 넓은 영역을 모두 차지하고 있다는 데에서 비롯한다. 많은 땅을 모두 차지한 데서 오는 우쭐함이고, 낯선 영역도 결국 모두 내 것으로 만들 수 있다는 자신감이다.

하지만 비록 넓기만 하고 관리는 어려운 영역이더라도 모두 내 영역임을 내세우려다 보니 무토는 어쩔 수 없이 허세와 허풍의 성향을 드러낼 수밖에 없다. 너무 많은 분야에 권리를 주장하다 보니 어쩔 수 없이 무리가 따르는 것이다. 따라서 한 분야의 전문가 앞에서는 작아질 수밖에 없다. 확장한 만큼 속은 텅 비어 있는 장면을 떠올릴 수 있다.

가까운 사람에겐 소홀

오행 토는 나머지 다른 오행들이 머무는 곳이다. 낯선 기운들을 모두 끌어안고 포용하며 중재하는 것이 오행 토의 본질이다. 무토는 이런 포용과 중재의 힘이 극명하게 드러나는 간지이다. 특히 낯선 것을 끌어안고 받아들이는 데 발군이다. 이민족을 수용하며 확장하는 제국의 모습이 무토다.

이런 힘은 대인 관계에서 극명하게 드러난다. 무토는 특유의 포용력을 가지고 있어 만인을 아우를 수 있다. 누구에게나 친절하고 열린 사람이다. 특히 낯선 사람들과 부드럽고 유연하게 관계를 맺을 수 있는 것이 무토이다. 파티를 열어 많은 사람을 초대하고, 참석자 모두에게 말을 걸며 친교를 맺을 수 있는 것이 무토이다. 사람들 사이의 어색함을 풀고, 갈등을 조정하고, 여럿을 하나로 묶을 수 있는 것이 대인 관계에서 드러나는 무토의 장점이다.

하지만 모두를 품는다는 것은 하나하나에는 집중하지 못한다는 의미이기도 하다. 무토의 집중력은 항상 새롭고 낯선 대상에게 쏠려 있다. 한 대상과의 관계에 집중해 지속적으로 내밀한 관계를 이어 나가는 것에는 한계를 드러낸다.

사회적으로 큰 강점이 되는 무토의 대인 관계 능력은 가족과 같은 가까운 사람에게는 서운함을 안겨 줄 수밖에 없다. 낯선 것을 긍정하고 끌어안는 데에만 관심이 있고 이미 끌어안은 것을 꾸미고 기르는 것에는 관심이 없는 무토는 늘 주변인의 볼 멘소리를 견디고 살아야 한다.

불도저 리더

갑목이 위로 솟아오르는 힘이고, 병화는 높이 떠서 모든 것을 밝히는 힘이다. 위로 높게 향하기 때문에 갑목과 병화는 이상과 방향성의 의미가 있다. 사람으로 보자면 철학자나 이상주의자다.

반면 무토의 경우 좌우 사방으로 넓게 퍼져 가는 힘이다. 지상과 현실에 기반을 두고 영향력을 넓혀 가는 힘이다. 사람으로 보자면 실천하는 행동주의자다. 확장해야 직성이 풀리기에 무토는 바로 행동에 옮기는 장점을 갖고 있다. 생각나면 즉시 해야 하고, 일을 벌여야 한다. 굼뜨고 가만히 있는 것을 참지 못한다.

강한 행동력과 포용력을 모두 갖추었으므로 무토는 조직의 리더에 어울리는 힘이다. 일단 움직이고 실천해야 직성이 풀리기 때문에 추진력 하나만큼은 무토를 따라갈 수 없다. 되든 안 되든 일단 해 봐야 한다는 신조로 조직을 강하게 끌어간다. 불가능해 보였던 목표도 행동과 실천으로 달성해 낸다.

고민하는 사람, 생각하는 사람을 굼뜬 사람으로 여기고, 이의를 제기하는 사람에게 극심한 반발심을 품어 무토의 리더십은 강압적이고 독선적인 모습을 보인다. 일단 달려가야 하는 욕망에 사로잡혀 있으니, 앞길을 막아서는 것은 참을 수가 없다. 비록 되돌아오더라도 멀리 가야 하는 것이 무토라서 적극적으로 호응하고 부추기는 사람만을 좋아한다. 조직의 모든 분야를 자신의 발밑에 둬야 하니 간섭과 잔소리가 많은 것도 특징이다.

고집의 황태자

낯선 것을 얼마든지 받아들일 수 있는 무토의 힘은 척박한 환경에 처했을 때 빛을 본다. 그곳이 호수, 절벽, 얼음땅, 사막이든 가리지 않는다. 일단 받아들이고 적응한다. 어떤 고난과 위기가 닥치더라도 그곳에서 해결책을 찾아내고 극복한다. 환경을 이용하고, 지배하고, 환경에 적응하는 것이 무토이다.

더 나아가 무토는 낯선 환경과 어려운 과제를 만나는 것을 은근히 기대한다. 모험과 도전 정신이 항상 가슴속에서 들끓는다. 따라서 무토의 자신감과 긍지는 많은 고난과 고비를 이겨낸 것에서 비롯되는 경우가 많다. 산전수전을 겪어 낸 과거의 경험을 훈장처럼 마음속에 담고 살아가는 것이다.

무토는 고집의 황태자다. 과거 경험에 의해 강하게 자리 잡은 신념과 고집은 아무도 꺾을 수 없다. 자존심과 고집이 세서 한 번 옳다고 믿으면 끝까지 밀어붙인다. 스스로 경험한 것이 차곡차곡 쌓여 얻어진 신조이기에 무토의 결심을 바꾸기란 여간해서는 쉽지 않다. 이런 고집이 긍정적으로 발현되면 특유의 우직함으로 일가를 이룰 수 있는 것이 무토이다.

도전 정신의 이면

무토가 가장 많이 하는 말이 "아니면 말고"이다. 무토는 다양한 아이디어를 갖고 있고 실천력도 있기 때문에 늘 새로움을 향해 떠난다. 그랬다가 중도에 지친 기색 하나 없이 돌아온다. 이런 "아니면 말고"의 정신은 도전 정신으로 승화되기도 하지만, 어른스럽지 못한 철없는 모습으로 비춰지는 경우도 많다.

사주의 천간에 무토가 나란히 뜬 경우 유심히 살펴야 한다. 하나의 간지 옆에 같은 간지가 나란히 붙어 있는 것을 '병존'이라고 하는데, 무무 병존이 뿜어내는 강한 확장의 힘은 넓은 활동 범위를 확보하는 방법으로 풀어내는 것이 좋다. 관광업, 무역업 등을 해서 외국과 교류하거나 외국으로 이주(이민)를 함으로써 강한 확장의 힘을 활용하는 것이 좋다.

무토의 힘이 강한 사주

태어난 날의 천간, 즉 일간이 무토일 경우, 본질적으로 무토의 정체성을 갖고 태어났다고 본다. 무토 일간은 평생 무토의 이상을 향해 나아간다.

일간인 무토의 주변에 화 기운과 토 기운이 많다면 일간은 화 기운과 토 기운의 도움에 힘입어 강한 힘을 갖게 된다. 아래 예를 보면, 일간의 주변이 온통 화 기운(시간인 丙, 일지인 午)과 토 기운(월간인 己, 월지인 丑, 시지인 辰)으로 가득 차 있기 때문에, 이 사주는 무토의 특성이 강하게 드러난다.

	시주	일주	월주	연주
천간	丙 병	戊 무	己 기	庚 경
지지	辰 진	午 오	丑 축	戌 술

기토
己

- 개요: 천간 중 여섯 번째에 해당하는 간지.
- 특성: 음 / 토 / 초가을.
- 좁은 지역을 관리하는 섬세한 힘이다.
- 기토는 수축하여 자신의 영역을 설정하고 관리하는 힘이다.

기토를 흔히 좁은 땅이라고 하는데, 한눈에 보이는, 관리가 잘된 영토를 의미하는 힘이다. 절정을 지난 양기가 막 음기로 변한 단계이며, 본격적인 수축을 위해 영역을 한정하는 힘이다.

단순히 좁은 땅이라는 물상보다는 좁은 땅의 힘에 집중해야 하는데, 무토의 단계에서 옆으로 펼쳐진 힘을 당기고 끌어모아 좁아지게 만드는 것이 기토의 본질이다. 무토가 확장이라면, 기토는 수축이다.

기호로는 안으로 좁아지는 화살표(→( )←)에 해당한다.

작지만 아름다운 나의 정원

무토의 단계에서 사방으로 흩어진 양기는 기토의 단계에 이르러 수축을 시작한다. 갑목부터 시작된 양 운동이 무토에서 마무리되고, 기토에서 바야흐로 음 운동이 시작되는 것이다. 따라서 기토의 가장 중요한 작용은 확장된 영역을 최대한 좁히는 것에 있다. 영역을 최대한 억제하고 제한하는 것이 기토의 본질이다. 구체적인 물상으로는 작지만 아름다운 정원, 울타리가 쳐진 개인 소유의 기름진 밭에 해당한다.

작고 제한된 땅을 관리해야 하는 기토는 기본적으로 배포와 스케일이 작다. 특정 분야에 깊은 관심을 기울이고, 대인 관계에서는 가족과 친족 위주의 관계에 집중하는 편이다. 열 개의 천간 중 가족과의 관계에 크게 의미를 부여하고, 가족들에게 가장 많은 에너지를 쏟는 것이 기토이다. 기토는 관리가 가능한 것만 소유하며, 한번 소유하게 된 것은 철저하게 관리하고 책임진다. 인간관계에서도 그러하다. 작은 것을 소중히 여기는 것은 기토가 가장 잘하는 것이다.

기토의 긍지는 적어도 내 영역은 완전무결하게 소유하고 통제하고 있다는 것에서 비롯한다. 기토가 관리하는 영역의 돌 하나, 풀 하나는 모두 기토의 손을 거친 것들이다. 기토는 죽어 가는 모든 것을 되살리고, 관리하고, 꾸민다. 내가 차지한 영역의 모든 것을 완벽하고 아름답게 가꿀 수 있다는 것이 기토의 자신감이다.

기토는 한정된 영역에서 성취한 것으로 세상 전부를 이해하려 하기 때문에 자칫 우물 안의 개구리 성향을 보일 수 있다. 좁은 분야에서 스스로 이룩한 것만을 판단 기준으로 삼으니 어쩔 수 없는 한계를 드러낸다.

선택한 사람에게만 집중

무토가 일단은 끌어안고 나서 보는 힘이라면, 기토는 현실적으로 판단하고 재단하여 수용하는 힘이다. 무토는 낯선 것을 끌어당기고 나서 '이제 네 역할을 찾아보라'고 말하는 힘이다. 반면 기토는 낯선 것을 끌어당기기 이전에 역할을 연습시키고 나서 수용하는 힘이다.

기토의 이런 힘은 대인 관계에서 명확하게 드러난다. 기토는 가족과 본인이 마음을 준 주변인을 잘 챙긴다. 워낙 스케일이 작아서 공식 석상에서 기토는 약한 모습(순응적인 모습)을 보이지만, 주변 사람들과의 관계에서는 주도적이고 적극적이다. 주변인들을 부드럽고 치밀하게 설득하고 관리하여 우리 가족 모두가 잘살 방법을 고민한다. 탄탄하게 토대를 닦아 나가는 힘 덕분에 기토의 주변인은 안정된 행복을 누릴 수 있다.

하지만 선택된 사람과의 관계에 집중한다는 것은 사회적 관계에는 약점을 드러낸다는 의미다. 기토의 집중력은 늘 익숙하고 편안한 내 사람들에게 쏠려 있다. 낯설고 일회적인 관계에 적응하고 대인 관계를 확장하는 것에는 한계를 드러낸다.

기토는 자신의 영역으로 들어온 사람은 어떻게든 지키고 보호하려는 성향이 있기 때문에 손해를 보기도 한다. 말썽을 부리고 주변에 피해를 주는 구성원이 있더라도 기토는 포기하지 않고 에너지를 쏟는다. 나중에 언제 큰 도움이 될지 모르니 참고 두고 보는 것으로도 볼 수 있다.

인내하는 실속주의자

무토가 좌우 사방으로 넓게 퍼져 가며 현실에서 영향력을 넓혀 가는 힘이라면, 기토는 실질적으로 이익을 취하는 힘이다. 무토가 영향력을 넓히느라 실속이 하나도 없는 삶을 살아간다면, 기토는 영향력을 축소하면서 현실적인 이익이 될 만한 것을 취해 실속 있는 삶을 살아간다.

사람으로 보자면 인내하는 실속주의자다. 좁은 영역에서 주어진 것만을 가지고 살아 나가야 하기에 기토의 판단 기준은 이익이 되느냐 되지 않느냐로 결정되는 경우가 많다. 실용과 실속을 우선시하고, 미래의 이익을 위해서는 현실의 손해를 감수할 수도 있는 것이 기토의 장점이다.

현실적인 생존과 이익을 위한 균형 감각과 융통성을 갖추었으므로 기토는 소규모 집단의 리더에 어울리는 힘이다. 가능성을 보고 인내할 줄 알며, 조정 능력과 관리 능력이 매우 뛰어나서 기토가 이끄는 조직은 안정적으로 목표를 향해 나아갈 수 있다. 또한 인화와 단결을 바탕으로 조직이 안정되어 끝까지 조직이 생존할 수 있다.

기토의 인내하는 실속주의의 단점은 새로운 변화에 적응하지 못한다는 것이다. 과단성이 부족하여 결단을 내리지 못하는 것도 문제의 소지가 될 수 있다. 따라서 기토의 힘은 보수적이고 안정적으로 무언가를 지켜야 하는 직업군에 어울린다.

성실의 아이콘

기토는 자기 관리를 철저히 하는 만큼 본인이 맡은 일에 대해서도 긍지를 가지고 최선의 노력을 다한다. 날마다 조금씩 그리고 장기적으로 꾸준히 해낼 수 있는 것이 기토이다. 문제는 필요 이상으로 혼자서만 너무 열심히 한다는 것이다. 기토 입장에서는 최선을 다해 일했으니 늘 인정받기를 갈구한다. 하지만 주변을 돌아보지 않고 혼자서만 너무 열심히 일을 해서 동료들로부터 이기적이라는 눈총을 받을 때가 많다. 기토의 성실함이 독으로 돌아오는 순간이다.

기토는 겉으로는 냉철해 보이지만 속은 굉장히 여리다. 또한 모든 것을 끌어안고 혼자서 소화해야 하는 특유의 성향 탓에 갈등을 끌어안는 경우가 많다. 대외적으로 감정을 잘 드러내지 않고, 자기표현을 속 시원하게 하지도 않는다. 이런 성향 탓에 기토는 스트레스를 안고 살아가는 경우가 많다. 가슴속에 풀어야 할 과제와 화가 많은 것이다.

교사, 상담사

기토는 낯선 상황에 대처하는 능력이 너무 약해서 변수 만드는 것 자체를 꺼린다. 변수가 생기면 대처할 수 없으니 아예 변수가 생기지 않게 하나에서 열까지 자기 관리를 통해 극복해 내는 것이다.

기토는 사회생활을 할 때 누군가에게 꼭 의존하려 한다. 단짝을 만들어 그 사람하고만 친하게 지내며, 어떤 일을 처리할 때 단짝에게 모든 것을 물어본다. 낯선 곳에서 자신의 고유 영역을 확보하려는 행동이다.

기토는 교사나 상담사, 종교인에 잘 어울리는 기운이다. 새롭고 낯선 것을 추구하지 않고, 안으로 향하는 정서가 강하기 때문이다. 다른 사람의 말을 잘 들어주고 감정을 잘 헤아리는데, 본인이 상처를 많이 받아 봤기 때문이다. 단짝과 비밀을 공유하려는 기토의 성향도 교사나 상담사의 직업에 종사하는 데 큰 도움이 된다.

기토의 힘이 강한 사주

태어난 날의 천간, 즉 일간이 기토일 경우, 본질적으로 기토의 정체성을 갖고 태어났다고 본다. 기토 일간은 평생 기토의 이상을 향해 나아간다.

일간인 기토의 주변에 화 기운과 토 기운이 많다면, 일간은 화 기운과 토 기운의 도움에 힘입어 강한 힘을 갖게 된다. 아래 예를 보면, 월지·일지·시지에 토 기운[丑]이 자리하고 있고, 월간에 화 기운[丁]이 있기 때문에, 이 사주는 기토의 특성이 강하게 드러난다.

	시주	일주	월주	연주
천간	乙 을	己 기	丁 정	甲 갑
지지	丑 축	丑 축	丑 축	午 오

경금
庚

- 개요: 천간 중 일곱 번째에 해당하는 간지.
- 특성: 양 / 금 / 완연한 가을.
- 굳건하고 강인하게 스스로를 지키는 힘이다.
- 경금은 안정된 기반 위에서 몸을 만들고 형체를 바로 세우는 힘이다.

경금을 보통 "강철", "큰 바위"라고 하는데, 이는 경금의 굳건하고 단단한 주체성에 주목한 표현이다.

기토에서 안정되게 모인 기운은, 경금의 단계에 와서 비로소 완전한 형체를 가지고 하나의 완결된 기운으로서 본인의 목소리를 낸다.

경금의 본질은 외부와 내부의 구별에 있다. 즉, 외부와 내부를 구분하는 표면을 단단하게 만들어 하나의 완결된 형상을 유지하는 것이 경금의 본질이다. 기호로는 다음 쪽에 해당한다.

주체성의 왕

하나의 기운이 완성되기 위해 많은 단계를 거쳐 왔다. 봄에서 약동[木]하는 기운은 여름이 되어 자신을 마음껏 발산[火]했다. 그리고 여름과 가을 사이의 간절기를 거치면서 토대[土]를 다졌다.

봄부터 변화와 성장을 거듭해 온 기운은 가을이 되어 비로소 자신을 발견하고, 하나의 기운으로서 완결된 목소리를 지니게 되었다. 이 완결의 기운, 스스로 하나의 형체를 구성하는 기운이 바로 경금이다.

경금은 주체성 그 자체이며, 10개의 기운 중에서 주체적인 힘이 가장 강하다. 따라서 경금은 혼자 있어도 불안을 느끼지 않는다. 다른 사람과 비교하면서 자신을 달성하는 것이 아니기에 다른 사람의 눈치를 보지 않는다. 오로지 자신을 일관되게 유지하는 것, 하루하루를 자신의 패턴대로 살아가는 것이 중요하다.

경금의 주체성은 신체와 아주 관련이 깊은데, 신체를 강하게 단련하고 자세를 바르게 유지하는 것은 경금이 지향해야 할 모습이다.

결단력의 이면

결단력이 강하다는 것은 필요한 것과 그렇지 않은 것을 명확하게 구분하고, 한번 결정한 것에 대해서는 미련을 갖지 않는 것을 말한다. 경금은 주체성이 강하므로 그만큼 강한 결단력을 자랑한다.

주체적인 힘이 강하다는 것은 잘 구조화된 자신만의 틀을 가지고 있다는 의미다. 변하지 않는 강철 같은 틀로 사물을 판단하고 행동하니 매사에 미련을 가질 여지가 없다. 버려야 할 것과 간직해야 할 것, 적과 아군, 내 것과 내 것이 아닌 것을 명확히 구분한다. 결단력 있게 버리고 취하는 것이다. 따라서 경금은 모든 분야에서 정리와 집중을 하는 능력이 탁월하다.

하지만 자기의 틀을 확신하고, 그 틀에 근거해 강하게 결단을 내리기 때문에 단점도 명확하다. 자신의 틀이 옳다는 것을 증명해야 하니 결과를 중시한다. 또한 잘못을 인정하려 하지 않고, 자기의 틀을 완고하게 고수하기 때문에 방향을 잘못 잡으면 되돌리기가 어렵다. 그래서 경금에게는 어린 시절이 중요하다. 어린 시절에 긍정적이고 선한 삶의 방향성을 잘 구축한다면, 평생 봉사심을 발휘하며 사회에 좋은 영향을 끼칠 수 있다.

최후까지 성문을 지키는 자

경금은 단단한 주체성을 가지고 자신의 자리를 지키는 힘이다. 튼튼한 신체와 강인한 정신에서 비롯된 일관성으로 주어진 일을 완수하는 것이 경금이 지향해야 할 자세이다.

경금은 변화와 유동성보다는 질서와 원칙을 지키는 일에 최적화되어 있다. 주어진 자신의 길을 가고, 명령을 받들어 수행하는 것에 어울리는 힘이다. 모두가 도망가더라도 임무를 맡았다면 마지막까지 남아서 성문을 지키는 것이 경금의 사명이고 자존심이다.

그만큼 약속이라는 단어는 경금에게 중요한 의미가 있다. 약속은 반드시 지켜야 하고, 사회가 요구하는 규범과 질서는 수호해야 한다. 경금의 입장에서 예외와 변수는 비겁한 자들이 하는 변명에 불과하다. 약속을 했으면 어떤 희생이 따르더라도 지켜야 한다.

오만을 경계할 것

경금의 주체성과 결단성, 원칙을 지키는 힘은 좋게 볼 수 있지만, 너무 과도한 자기 확신은 그만큼의 부정성을 안고 있다. 내가 맞고 남이 틀리다, 내가 선택한 것이 최선이며 반드시 결과를 내야 한다는 경금 특유의 사고방식은 많은 부작용을 낳을 수 있다. 확신이 강한 만큼 반작용이 큰 것이다.

병화 역시 자기 확신이 강하고 남에게 자신의 뜻을 강요하지만 그 뜻을 끝까지 밀어붙이지는 못한다. 병화는 너무 넓은 범위로 확장되는 기운이기 때문이다. 하지만 경금의 경우, 병화가 부러워할 만한 강철 같은 집중력을 가지고 있기에 한번 자신의 뜻을 펴기 시작하면 끝까지 밀어붙인다. 주변을 고려하지 않고, 부작용도 과감하게 무시한다. 누구도 경금의 뜻을 막을 수 없다.

신념의 또 다른 말은 오만이다. 자기와 주변의 경계가 너무 확실하고 자기 세상이 지나치게 단단하므로, 남과 타협하거나 협상하지 않고 자신의 의견만 내세운다.

승부욕의 힘

경금은 승부욕의 기운이기도 하다. 경금은 경쟁을 할 때 두 가지를 염두에 둔다. 첫째는 룰이 공정한가, 그리고 둘째는 내가 이겼는가이다. 이 둘 중 하나가 충족되지 않으면 경금은 견디질 못한다. 어떻게든 이겨야 하고, 이겨야만 비로소 만족한다.

자기 세상을 만들려는 성향과 원칙을 지키려는 본성 때문에 세상을 개혁하는 것을 좋아하지만, 경금의 개혁 작업은 어쩔 수 없이 폭력적인 면을 보일 수밖에 없다. 절대 굽히지 않기 때문이다. 내가 선이고, 너는 악이라는 이분법으로 승부를 걸기 때문에 한쪽이 완전히 패배해야만 승부가 끝난다. 2:8, 4:6의 결과는 경금이 원하는 결과가 아니다. 0:100이 나올 때까지 밀어붙이는 것이 경금이다.

경금은 논리적으로 대상을 파악한다. 틀이 명확하기 때문이다. 이 빡빡한 논리로 사물을 바라보기 때문에 비판적이고 잔소리가 많을 수 있다.

성실하고 준법 의식이 강하기에 경금은 사법 공무원이나 경찰, 군인 같은 직업과 잘 어울린다.

경금을 판단할 때 걸음걸이와 자세를 보면, 현재의 상태를 진단할 수 있다. 곧고 바른 자세를 취해 함부로 범접할 수 없는 품위를 내뿜는다면, 아름답게 자신의 기운을 쓰고 있는 경금이다. 하지만 흐느적거리거나 거만한 자세라면 경계할 필요가 있다. 몸, 마음, 태도가 바르지 않다면 경금이 아니다.

경금의 힘이 강한 사주

태어난 날의 천간, 즉 일간이 경금일 경우, 본질적으로 경금의 정체성을 갖고 태어났다고 본다. 경금 일간은 평생 경금의 이상을 향해 나아간다.

일간인 경금의 주변에 토 기운과 금 기운이 많다면 일간은 토 기운과 금 기운의 도움에 힘입어 강한 힘을 갖게 된다. 아래 예를 보면, 일지에 금 기운이 자리하고 있고, 월주를 토 기운[戊, 戌]이 장악하고 있다. 또한 시간에도 토 기운[戊]이 자리하고 있기 때문에, 이 사주는 경금의 특성이 강하게 드러난다.

	시주	일주	월주	연주
천간	戊 무	庚 경	戊 무	辛 신
지지	寅 인	申 신	戌 술	未 미

신금
辛

- 개요: 천간 중 여덟 번째에 해당하는 간지.
- 특성: 음 / 금 / 늦가을.
- 아주 작고 단단하게 응집된 힘이다.
- 신금은 주변의 모든 기운을 끌어모아 응집한 예리한 힘이다.

신금을 보통 "예리한 칼", "보석"이라고 하는데, 이는 신금의 응집성과 날카로움에 주목한 표현이다.

경금에서 하나의 완결된 형체를 이룬 기운은, 신금의 단계에 와서 더욱 안으로 완벽하게 수렴된다.

신금의 본질은 완전무결한 응집성에 있다. 어떠한 잡티도 섞이지 않은 순수함, 주변의 모든 것을 끌어당겨 집중하는 힘이 신금의 본질이다. 기호로는 옆쪽에 해당한다.

단단한 내면

오행 금이 갖는 냉엄한 완결성의 의미는 신금의 단계에 와서 더욱 명확해진다. 경금의 단계에서는 몸을 바로 세워 외부와 내부의 경계를 구분하는 것이 중점이었다. 즉 남과 나를 구분하는 것, 그것을 통해 스스로의 자아를 명확하게 하는 것이 과제였다.

경금에서 자신의 정체를 파악한 기운은 신금의 단계에 오면 더욱 똘똘 뭉쳐 자기의 본질을 주장하게 된다. 비로소 신금에 이르러 기운이 하나로 완성되는 것이다. 안으로 수렴돼 똘똘 뭉친 기운, 강한 응집성이 바로 신금의 본질이다.

경금도 단단하고 신금도 단단한데, 경금은 피부를 강철처럼 만들어서 자신을 지키는 기운이라면, 신금은 내면의 정신을 완벽하게 다듬어서 자신을 지키는 기운이다. 그만큼 안으로 밀집된 기운, 뭉친 기운, 모여서 완성된 기운이 신금이다.

끝없는 세공을 거쳐 다이아몬드가 완성되듯 신금은 남과 비교하면서 자신을 완성한다. 비교를 통해 끊임없이 자신을 갈고 닦으며 단단하게 성장해 나간다.

날카롭지만 유연한 틀

신금의 기운은 보석을 세공하는 일에 비유할 수 있다. 신금은 꼼꼼하고 섬세하며, 침착하게 모든 일을 처리한다. 다른 사람들의 눈에는 보이지 않는 것이 신금의 눈에는 보인다. 또한 과정을 중시하기에 치밀하게 계획을 세워 일정대로 하나씩 지키며 해결해 나간다.

대인 관계에서도 예민하게 남의 고충을 파악해 섬세하게 잘 챙긴다. 다정한 분위기를 풍기며 사회생활에서 신뢰를 잘 형성한다.

경금이 변하지 않는 강철 같은 틀을 이용해 사물을 판단하고 행동한다면, 신금은 날카롭고 예리하지만 유연한 틀을 사용한다. 예리하기에 세밀하게 구분하고, 조짐을 포착하는 데에는 능하지만 유연하기 때문에 끝까지 밀어붙이지는 못한다.

또한 신금은 경금에 비해 소극적이고 스케일이 작다. 소소한 것을 좋아하는 성향이 많고 새로운 것(유행)을 좋아하며 변덕이 심한 편이다. 하지만 경금과 다르게 결과에 집착하지 않아 정서적으로 안정되고 침착한 것이 장점이다.

일상의 실천가

경금은 크고 강한 힘이고, 신금은 작지만 날카롭고 단단한 힘이다. 겉으로 강함을 드러내는 것이 경금이라면, 신금은 내면이 단단하고 날카롭고 예리하다.

신금의 두드러진 특징은 자기주장이 뚜렷하다는 점이다. 강인하게 잘 벼려진 내면을 바탕으로 촘촘하고 치밀하게 자신의 주장을 펴 나간다. 경금이 무턱대고 신의를 내세운 옳음을 주장한다면, 신금은 이치와 논리를 바탕으로 옳음을 증명해 낸다.

현실의 이치를 단번에 파악하고 그것을 조리 있게 정리하는 데는 신금을 따라갈 수 없다. 예리한 칼로 지도를 그리듯 차분하고 똑 부러지게 주장을 펼치기에 말로는 대적하기 어려운 것이 신금이다. 똘똘하고 명석하다. 장난과 빈말을 싫어하는 것도 신금의 특징이다.

경금이 세상의 정의를 바로세우기 위해 큰 싸움을 벌인다면, 신금은 일상에서 뚜렷하게 목소리를 내서 세상을 조금씩 소소하게 바꿔 나간다. 작은 정의를 실현한다고 할 수 있다.

자기 비하라는 숙제

경금은 과정을 무시하고 결과만을 추구하는데, 신금은 과정도 중요시한다. 일단 하루하루가 완벽해야 직성이 풀린다. 꼼꼼하게 일정을 세워서 그대로 지켜야 한다. 그렇다 보니 예민하고 까탈이 많아 자신과 주변인을 피곤하게 한다. 빈틈없는 사고 체계가 본인과 주변인을 힘들게 하는 것이다.

경금도 비판적이지만 신금은 경금보다 더 논리적이고 비판적이며 냉정하다. 남을 배려해서 점수를 쌓아 놓고는 냉정한 말 한마디로 그 점수를 날려먹는 타입이 많다. 좋은 의도를 가지고 행동하지만 결과적으로 상처를 주기 때문에 좋은 평판을 얻기가 어렵다.

특히 일이 잘 풀리지 않거나 대인 관계에 지장이 생길 때 신경이 날카로워지며 잔소리가 많아진다. 남의 실수를 용납하지 못하는 성격이며, 바늘로 상대방의 잘못을 콕콕 찔러 댄다. 냉소적인 면까지 있어 타인을 비꼬거나 부정적으로 몰아가는 성향 또한 있다. 하지만 악의는 없기 때문에 늘 뒤돌아서서 후회하는 것이 신금이다.

한편 신금의 예리한 칼날은 수시로 자신에게 향한다. 자기 비하는 신금이 풀어야 할 숙제이다. 따라서 신금에게는 칭찬과 포용적인 태도가 무엇보다 중요하다. 어린 시절 부모의 포용적인 태도는 신금의 어둠을 지우는 소중한 보약이 된다.

의사, 한의사

신금은 그 날카로운 힘 때문에 매사에 피로를 느끼기 쉽다. 늘 체력적인 문제에 시달린다. 예리한 기운을 가지고 있으니 정신 건강에도 유의해야 한다.

경금도 운동과 잘 어울리는 기운이지만, 신금은 반드시 운동을 통해 자신을 단련해야 한다. 헬스나 조깅, 수영 등의 신체적 단련은 신금의 몸과 정신을 지키는 최고의 보약이다.

신금은 정리 정돈에 최적화된 힘이다. 주변을 완벽하게 정리하고 있다면 신금의 기운이 잘 발현되고 있다고 볼 수 있다. 반대로 신금의 기운이 강한데, 주변이 정리 정돈되지 않는다면 삶의 밸런스를 점검해 봐야 한다.

신금은 날카롭고 예리한 특질이 확연하게 드러나는 기운이기에 직업적으로 발현되는 경우가 많다. 신금이 발달한 경우 주로 의사, 한의사 등 의약업에 종사하는 경우가 많으며, 예리하고 정교한 기술을 요하는 직업 분야에서 활약하는 경우 또한 많다.

신금의 힘이 강한 사주

태어난 날의 천간, 즉 일간이 신금일 경우, 본질적으로 신금의 정체성을 갖고 태어났다고 본다. 신금 일간은 평생 신금의 이상을 향해 나아간다.

일간인 신금의 주변에 토 기운과 금 기운이 많다면 일간은 토 기운과 금 기운의 도움에 힘입어 강한 힘을 갖게 된다. 일지에 토 기운[丑]이 자리하고 있고, 월지와 연지에 금 기운[酉]이 나란히 있다. 시간에도 금 기운[庚]이 자리하고 있기 때문에, 이 사주는 신금의 특성이 강하게 드러난다.

	시주	일주	월주	연주
천간	庚 경	辛 신	癸 계	己 기
지지	寅 인	丑 축	酉 유	酉 유

임수
壬

- 개요: 천간 중 아홉 번째에 해당하는 간지.
- 특성: 양 / 수 / 초겨울.
- 넉넉하게 포용하는 힘이다.
- 임수는 응집된 기운을 해체하고 풀어놓는 힘이다.

임수를 물상적으로 "바다"라고 하는데, 이는 임수의 넉넉함과 너그러움, 수용성에 주목한 표현이다. 경금과 신금을 거쳐 하나로 완성된 기운은, 임수의 단계에 오면 그 형체를 잃고 풀어진다. 끝으로 향하기 위한 과정이다.

임수의 본질은 모든 것을 일단 받아들이는 포용성에 있다. 내 것과 남의 것, 옳은 것과 그른 것, 좋은 것과 나쁜 것을 가리지 않고 받아들인다. 기호로는 아래에 해당한다.

포용의 힘

임수의 가장 큰 특징은 포용력이다. 사람, 일, 세상사 모두를 자신의 그릇 안에 끌어안을 수 있는 것이 임수이다. 사람들을 모으고, 책을 사 모으고, 정보를 모아서 끌어안는 것이 임수가 가장 잘하는 것이다.

끌어안는 힘은 무토도 가지고 있는데, 무토는 눈앞의 모든 것을 일단 자신의 영토에 담는 힘이라면, 임수는 받아들인 그것과 교감하고 그들을 감싸 안아 자신의 편으로 만드는 힘이다. 안아서 품는 힘이 임수의 본질이다.

임수는 자신이 품는 대상들 간의 관계를 조정하는 데도 굉장히 능하다. 자신이 품는 대상들을 모두 만족시켜야 직성이 풀리기에, 적극적으로 중재를 하고 관계 개선에 힘쓴다. 모두를 만족시키는 부드러운 중재의 리더십은 임수의 가장 큰 장점이라고 할 수 있다.

하지만 임수는 넓은 만큼 깊은 관계는 별로 좋아하지 않는다. 깊이 다가가면 한 발 물러서는 것이 임수이다. 한곳에 얽매이지 않고 모두를 포용해야 하는 성향 때문이다.

핵심을 꿰뚫는 명석한 두뇌

오행 수는 인간의 정신력과 깊이 관련되어 있다. 오행 수의 기운을 거침없이 발산하여 사용하는 임수는 두뇌 회전이 굉장히 빠르다. 정보 처리 용량이 크고, 여러 일을 동시에 처리하는 것에 굉장히 능해 한번 보면 답을 알 수 있고, 아무리 복잡한 상황이라도 금세 해결 방법을 찾아낸다.

일의 전후좌우와 사건의 맥락을 파악하는 능력이 탁월하고, 일 처리가 시원시원하며 속도도 빠르다. 자잘한 요구 조건과 애로 사항을 거침없이 정리하며 결론으로 치달아 가기 때문에 초기의 기획 단계와 현장에서 돌파구를 찾는 데 임수가 핵심적인 역할을 할 수 있다.

걸림돌이 나타났을 때 다른 양간들인 갑목·병화·무토·경금은 그대로 돌파해 내려고 한다면, 임수는 대적하지 않고 피하는 길을 찾아낸다. 싸우지 않고 이기는 법, 내가 다치지 않고 이익을 얻는 법을 궁리하는 데 임수를 따라올 수 없다. 임수의 두뇌는 변화와 적응, 임기응변에 최적화돼 있다. 맥락을 보고 핵심을 꿰뚫는 통찰력, 하나를 보면 열을 그릴 수 있는 상상력이 돋보이는 것이 임수이다.

빠르게 핵심을 향해 나아가는 힘은 강하지만, 자신의 능력에 대한 확신과 밀어붙이는 힘이 부족해 늘 임수는 시행착오를 안고 살아간다. 배짱이 있지만 배짱을 관철할 투지가 부족하고, 믿음은 있지만 그 믿음에 모든 것을 걸 정도로 우직하지 않기 때문에 늘 반짝이는 시도만 하다가 끝나는 경우도 많다.

기회를 잘 포착하는 탐구자

모든 양간이 기본적으로 통제받는 것을 견디지 못한다. 특히 임수가 그렇다. 스스로 사건의 핵심을 완전히 장악하고 있다고 자부하기 때문에 남의 지휘가 달갑지 않은 것이다. 하지만 임수는 겉으로는 통제에 도전하지 않는다. 그 대신 속으로 남몰래 돌파구를 마련해 낸다.

통제를 견디지 못하고, 자신만의 길을 만들어 내는 것은 임수가 가진 탐구자적인 기질 때문이다. 사물의 실체를 파고드는 임수 특유의 탐구자적인 자세는 임수의 삶을 새롭고 낯선 곳으로 내몬다.

임수는 주변의 기류 변화를 파악하는 육감이 발달해서 취해야 할 때, 벗어나야 할 때를 잘 안다. 틈이 보이면 바로 흘러가는 물과 같다. 따라서 임수는 인생의 갈림길에 서면 기회를 놓치지 않고 과감하게 새로운 길에 도전한다. 누구나 깜짝 놀랄 만한 방향으로 거침없이 나아간다.

하지만 이런 선택이 언제나 성공을 거두는 것은 아니다. 멋있는 도전일수록 많은 후회를 남긴다. 실제로 도전하는 임수들은 생활비 같은 현실적인 문제 앞에서 좌절하는 경우가 많다.

도무지 모를 속마음

임수는 물상으로 보면 깊은 바다라 할 수 있다. 깊은 바다 속을 가늠하기 어려운 것처럼 임수의 속을 알아차리기는 쉽지 않다. 도대체 속을 알 수 없고 정체를 파악할 수 없는 것이 임수이다. 따라서 임수는 "도대체 네 속을 알 수 없다"는 말을 가장 많이 듣는다. 늘 한 수 두 수 깔고 있는 것이 임수이고, 아주 가까운 사이라도 말하지 않은 비밀을 품고 있는 것이 임수이다.

속마음을 드러내지 않고 숨겨진 무기가 많으니 수완이 좋고, 융통성이 있으며, 임기응변에 굉장히 능한 것이 임수이다. 하지만 엉큼한 면이 있기 때문에 임수의 말을 표현 그대로 받아들이면 안 된다. 마음과 말이 따로 노는 것이 임수이다.

대범하고, 궁리가 깊으며, 마음을 드러내지 않기 때문에 임수는 그 자체로 정치적이라고 할 수 있다. 혹은 연예인, 도박사, 종교인과도 어울리는 힘이다. 하지만 속을 알 수 없는 임수의 특성은 권모술수를 부리는 힘으로 변질될 수 있으며, 현란한 말로 그때그때의 상황을 모면하는 얄팍한 처세의 힘으로 드러나기도 한다.

인기의 힘

임수는 인기의 힘이기도 하다. 감상적이고, 이해의 폭이 넓으며, 도량도 넓어 많은 사람의 마음을 끌어안을 수 있기 때문이다. 상황에 따라 카멜레온처럼 색을 바꾸는 성향 덕분에 누구에게도 욕을 먹지 않고, 대인 관계의 폭을 넓혀 간다.

또한 임수는 성적인 힘을 의미한다. 수가 생식과 성에 관련된 오행이기 때문이다. 임수는 성적인 것에 관심이 많으며, 특유의 섹슈얼함을 가지고 있다. 이 성적 추동과 욕망을 잘 조절하면 대인 관계에서 큰 무기가 될 수 있다. 하지만 임수 특유의 충동성 탓에 이 힘은 성적인 사고로 연결되는 경우도 많다.

임수의 장점은 시작도 끝도 없다는 점이다. 경계를 가지지 않는 힘이라서 쉽게 지치지 않고, 쉽게 물러서지 않는다. 버티고 버텨서 마침내 끝까지 남아 있는 것이 임수이다. 절망 앞에서도 길을 만드는 임수 특유의 낙천성은 위기일수록 빛을 발한다.

임수는 스스로도 자신의 정체를 모르기 때문에 반드시 자신만의 표현 수단을 확보해야 한다. 표현을 통해 자신의 욕망을 구체화하고, 계획을 선명하게 다져야 한다.

임수의 힘이 강한 사주

태어난 날의 천간, 즉 일간이 임수일 경우, 본질적으로 임수의 정체성을 갖고 태어났다고 본다. 임수 일간은 평생 임수의 이상을 향해 나아간다.

일간인 임수의 주변에 금 기운과 수 기운이 많다면, 일간은 금 기운과 수 기운의 도움에 힘입어 강한 힘을 갖게 된다. 일지에 수 기운[子]이 자리하고 있고, 시간에 수 기운[壬], 월간에 금 기운[辛]이 있기 때문에 이 사주는 임수의 특성이 강하게 드러난다.

	시주	일주	월주	연주
천간	壬 임	壬 임	辛 신	丙 병
지지	寅 인	子 자	卯 묘	子 자

계수
癸

- 개요: 천간 중 열 번째에 해당하는 간지.
- 특성: 음 / 수 / 늦겨울.
- 사방으로 흩어진, 형체를 알 수 없는 힘이다.
- 계수는 온 지구에 널리 퍼져 만물을 감싸 안는 기운이다.

형체가 없어 만질 수는 없지만 사방에 존재하는 것이 계수이다. 이런 계수의 특성을 잘 드러낸 표현이 바로 '안개비'이다. 계수는 안개비처럼 사방에 존재하면서 모든 존재에게 반응한다.

계수의 본질은 드러내지 않으면서 영향력을 미치는 것에 있다. 기호로는 아래에 해당한다.

스며들어 장악하는 힘

갑목에서 시작된 천간의 기운이 드디어 계수에서 끝이 난다. 천간은 하나하나 각각 의미를 가지고 있지만, 흐름으로 볼 때 갑목이 시작이 되고 계수는 끝이 된다. 갑목이 솟구치며 약동하는 힘으로 힘차게 시작을 열었다면, 계수는 존재감을 최대한 감추며 끝을 장식한다. 계수에서 완전히 사라져야 갑목으로 다시 태어날 수 있는 것이다. 따라서 계수의 특징은 그 존재를 감추는 것에 있다. 드러내지 않고 존재를 감추는 기운, 그러면서도 사방에 퍼져 있는 것이 바로 계수이다.

집단에서 계수는 나서기를 싫어하며, 존재를 잘 드러내지 않는다. 일대일이나 소수의 관계를 선호하고 시간이 지날수록 스며들어 두루두루 친한 관계를 맺어 나간다. 드러내지 않으면서 천천히 영향력을 넓혀 가는 것이다. 따라서 충성도가 높아야 하거나 규율이 엄격한 조직, 성과를 곧바로 내야 하는 조직은 계수와 어울리지 않는다.

임수는 자신의 그릇 안에 많은 관계를 담고 그 관계를 조율하며 하나로 품는 능력이 강하다면, 계수는 그릇 자체가 없다. 일대일로 한 명 한 명에게 감응하며 관계를 맺어 나간다. 공기처럼 형체가 없는 기운이기에 한 명 한 명을 오롯이 감싸 안는다. 따라서 계수는 어떤 일을 하건 시간이 필요하다. 점진적으로 퍼져 나가서 영향력을 발휘하기 때문이다.

뛰어난 공감력

오행 중 음의 속성을 가장 잘 담고 있는 것이 수인데 계수는 음이기까지 해서 10개의 천간 중에서 가장 음의 성향이 두드러진다고 할 수 있다.

부드러운 음의 성향으로 인해 계수가 강한 사람들은 심성이 여리고, 온화하며, 감수성도 섬세하다. 상대방의 말에 귀 기울일 줄 알고, 공감력과 감응력이 굉장히 뛰어나 상대방을 편안하게 만든다. 다 받아 주고, 다 들어주고, 마음을 어루만져 주는 것이 계수다.

하지만 그만큼 인정에 치우칠 가능성이 많으며, 누군가의 무리한 부탁도 거절하지 못하는 단점을 가지고 있다. 상황과 조건을 가리지 않고, 상대방과 교감하고 감응하기 때문에 쓸데없는 관계에 체력을 허비하는 경우도 많다.

유연함의 이면

임수도 특유의 유연함을 가지고 있지만, 계수는 임수가 가진 고집이 없기 때문에 훨씬 그 유연함이 빛을 발한다. 임수가 유연하게 자신의 길을 간다면, 계수는 유연하게 주변 상황에 반응하는 것이다. 계수는 상황 판단력이 뛰어나며 어떠한 외부 조건이 주어지더라도 그 외부 조건이 원하는 대로 잘 적응한다. 형체가 없기 때문에 어떤 사물에도 옷을 입힐 수 있는 것이 계수이다. 임수만큼의 배포와 힘은 없지만 지혜롭게 상황을 흘려보낸다.

이런 특성 때문에 계수는 외부 조건에 따라 운명이 결정되는 경우가 많다. 본인이 개척하기보다는 주어지는 상황에 적응해서 삶을 꾸려 가기 때문이다. 새롭게 개척하기 위해 힘을 낭비하는 것이 아니라 주어진 여건에서 충실하게 역량을 집중하기 때문에 마침내 그 환경의 지배자가 되는 것이 계수다. 적응해서 살아남는 자가 승자가 되는 것이 계수의 공식이다.

하지만 이는 양날의 검이다. 어느 환경에도 잘 적응한다는 말은 벗어나고 싶어도 벗어날 수 없다는 의미이기 때문이다. 따라서 환경이 부조리할수록 계수는 점점 더 지치고 시들어 갈 수밖에 없다. 좋지 않은 조건에 오래 머물수록 점차 그 생동감과 맑음을 잃어 간다.

지혜와 상상력의 힘

오행 수는 지혜의 기운을 담고 있다. 임수가 똑똑하다면, 계수는 지혜롭다. 임수가 겉으로 드러나는 현상을 빠르게 이해하고 머릿속에서 순식간에 기획서를 그린다면, 계수는 상대방의 기분을 잘 파악하고 예리하게 마음을 꿰뚫어 본다. 겉으로 드러나지 않는 것까지도 파악하는 통찰력을 가지고 있다. 임수가 사건의 지배자라면, 계수는 마음과 본질의 지배자인 것이다.

또한 계수는 상상력의 여왕이다. 상상력에 관해서는 계수를 따라갈 천간이 없다. 형체가 없기 때문에 마음대로 상상의 나래를 펼 수 있는 것이다. 특히 정신적인 영역, 즉 영성에 관심이 많으며, 예술과 형이상학(철학, 종교 등)에 특화된 기운이다. 계수는 항상 맑은 상태를 유지하려는 경향이 있으며, 마음의 평정심을 지키는 것이 행복의 조건이 된다.

우울증은 숙제

계수는 형체를 갖추지 않은 아주 약한 기운이기에 강한 상대에게 의존하려는 경향이 강하다. 힘을 열망하며, 권위 있는 존재에게 약한 모습을 보인다.

임수가 변덕이 문제라면 계수는 우울증이 문제다. 계수 자체가 극단의 음의 기운이라서 자꾸만 어둠으로 가라앉으려고 한다. 그래서 부정적인 감정, 우울한 생각을 항상 경계해야 한다. 항상 작은 희망이라도 품고 살아야 하며, 일상에서의 소소한 행복을 누리며 밝음을 지켜 나가야 한다. 특히 계수의 삶을 개선하려면 주변 여건을 바꿔야 한다. 주변의 여건이 계수의 행복을 크게 좌우하기 때문이다.

계수는 책에 애착이 많다. 책을 사고, 읽는 순간 마음이 평온해지고 행복하다. 계수 자체가 정신과 영성의 힘이니, 책으로 맑음을 유지하고 정화하는 것이다.

계수의 두드러진 특징은 보호 본능을 자극한다는 것이다. 도와주고 싶고, 지켜 주고 싶은 마음이 들게 하는 것이 계수이다. 겉으로 드러나는 인기는 임수가 누리지만, 실제 사람들에게 진정으로 사랑받는 천간은 계수이다.

계수는 감정과 감상의 힘이니 감정의 치우침을 경계해야 한다. 감정에 치우쳐 그릇된 선택을 하고 나서, 벗어나지 못하고 얽매이는 경우가 많다. 나에게 고통을 주는 대상을 명확하게 인지한 후에 끊고 벗어나는 결단이 필요하다.

계수의 힘이 강한 사주

태어난 날의 천간, 즉 일간이 계수일 경우, 본질적으로 계수의 정체성을 갖고 태어났다고 본다. 계수 일간은 평생 계수의 이상을 향해 나아간다.

일간인 계수의 주변에 금 기운과 수 기운이 많다면, 일간은 금 기운과 수 기운의 도움에 힘입어 강한 힘을 갖게 된다. 월지에 금 기운[申]이 자리하고 있고, 월간과 일지에 수 기운[壬, 亥]이 있기 때문에, 이 사주는 계수의 특성이 강하게 드러난다.

	시주	일주	월주	연주
천간	丁 정	癸 계	壬 임	己 기
지지	巳 사	亥 해	申 신	巳 사

4장

지지,
땅에서 이루는 조화

시간과 관련 깊은 지지

지지는 음이기 때문에 "지地"라는 말이 붙어 있다. 음, 즉 땅의 기운에 해당하는 지지는 12개의 요소로 구성되어 있다.

자子, 축丑, 인寅, 묘卯, 진辰, 사巳,
오午, 미未, 신申, 유酉, 술戌, 해亥

천간이 오행과 대략적인 계절을 의미한다면, 지지는 구체적인 시간과 깊이 관련되어 있다. 구체적인 시간과 월의 단위가 바로 지지의 체계와 일치한다.

과거 동양에서는 하루를 12개의 단위로 쪼개서 시간을 측정했는데, 그 시간 체계 자체가 바로 지지이다. 또한 12개의 단위로 구성된 달력의 체계 역시 지지를 기본으로 하고 있다. 이렇듯 지지와 시간은 따로 존재하는 것이 아니라 지지 그 자체가 시간이다. 반대로 말하면, 지구의 시간 단위는 각각 의미를 가지고 있는데, 그 의미를 기호로 나타낸 것이 지지인 것이다.

지지에 대한 이해를 돕기 위해 지지를 토끼·용 등의 동물로 비유하고, 동물의 특성을 이용해 사주를 판단하기도 하지만, 이는 옳지 않은 방법이다. 동물 비유는 대중의 이해를 돕는 방편으로 아주 제한적으로 활용해야 한다.

	절기	월	시
자子	대설～소한	12월 7, 8일~1월 5, 6일	밤 11:30~새벽 1:30
축丑	소한～입춘	1월 5, 6일~2월 4, 5일	1:30~3:30
인寅	입춘～경칩	2월 4, 5일~3월 5, 6일	3:30~5:30
묘卯	경칩～청명	3월 5, 6일~4월 4, 5일	5:30~7:30
진辰	청명～입하	4월 4, 5일~5월 5, 6일	7:30~9:30
사巳	입하～망종	5월 5, 6일~6월 5, 6일	9:30~11:30
오午	망종～소서	6월 5, 6일~7월 7, 8일	11:30~13:30
미未	소서～입추	7월 7, 8일~8월 7, 8일	13:30~15:30
신申	입추～백로	8월 7, 8일~9월 7, 8일	15:30~17:30
유酉	백로～한로	9월 7, 8일~10월 8, 9일	17:30~19:30
술戌	한로～입동	10월 8, 9일~11월 7, 8일	19:30~21:30
해亥	입동～대설	11월 7, 8일~12월 7, 8일	21:30~23:30

지지에 따른 절기, 월, 시간 표

자

자子는 오행으로는 수水, 시간으로는 밤, 계절로는 한겨울을 의미한다.

- 시간: 자시子時 오후 23시 30분~오전 1시 30분
- 월: 자월子月 12월 7, 8일(대설)~1월 5, 6일(소한)

사주의 기준은 만세력(절기력)이고, 절기력은 태양의 고도를 기반으로 한 태양력이기에 당연하게도 양력이 기준이 된다.

자의 오행이 수이기 때문에 오행의 이름을 결합하여 자를 자수子水라 부른다.

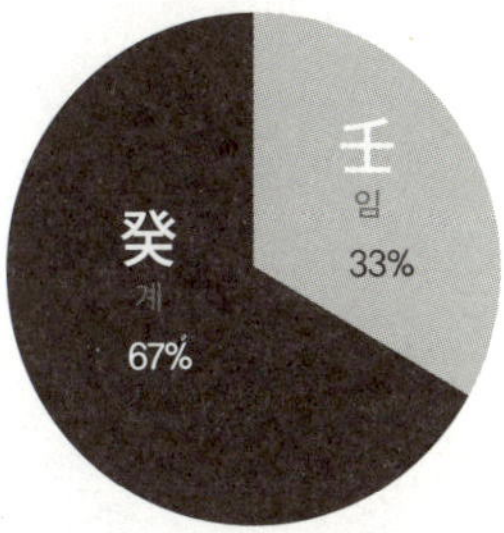

자수의 구성 요소

천간은 순수하고 단일한 하나의 기운이지만, 지지는 천간의 기운들이 섞여서 조합된 것이다. 자수는 임수와 계수가 섞여서 공존하고 있는 기운이다. 위 그림을 보면 자수 안의 임수와 계수는 분리될 수 있는 것처럼 보이지만 실제로는 하나로 뭉쳐서 동시에 작용한다고 볼 수 있다. 태극을 음과 양으로 떼어 놓을 수 없는 이치와 같다.

위의 그림에서 알 수 있는 것처럼 임수와 계수 중 계수의 비

중이 크기 때문에 자수를 대표하는 기운은 계수가 된다. 따라서 굳이 음양을 구분하자면 자수는 음수에 해당한다고 볼 수 있다.

축

축丑은 오행으로는 토土, 시간으로는 밤, 계절로는 늦겨울을 의미한다.

- 시간: 축시丑時 오전 1시 30분~오전 3시 30분
- 월: 축월丑月 1월 5, 6일(소한)~2월 4, 5일(입춘)

축의 오행이 토이기 때문에 오행의 이름을 결합하여 축을 축토丑土라 부른다.

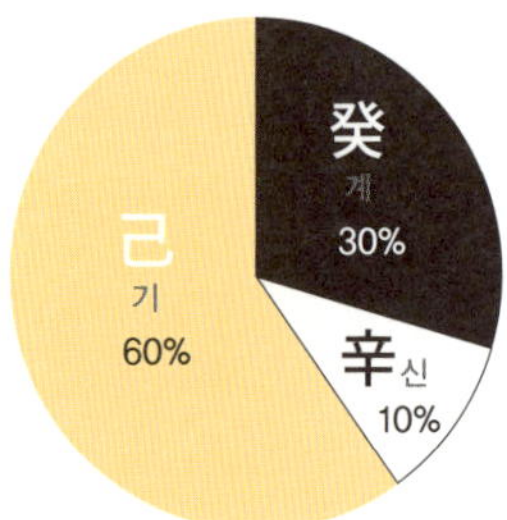

축토의 구성 요소

축토를 대표하는 기운은 기토이다. 축토 안에는 기토와 함께 계수와 신금이 공존하고 있는데, 기토·계수·신금이 모두 음간에 해당하는 기운이고, 계수와 신금이 강한 수렴의 힘을 가지고 있기 때문에 응축하는 힘이 강하게 드러난다.

축토의 대표 기운이 기토이므로, 축토는 음토에 해당한다고 볼 수 있다.

인

인寅은 오행으로는 목木, 시간으로는 새벽, 계절로는 초봄을 의미한다.

- 시간: 인시寅時 오전 3시 30분~오전 5시 30분
- 월: 인월寅月 2월 4, 5일(입춘)~3월 5, 6일(경칩)

인의 오행이 목이기 때문에 오행의 이름을 결합하여 인을 인목寅木이라 부른다.

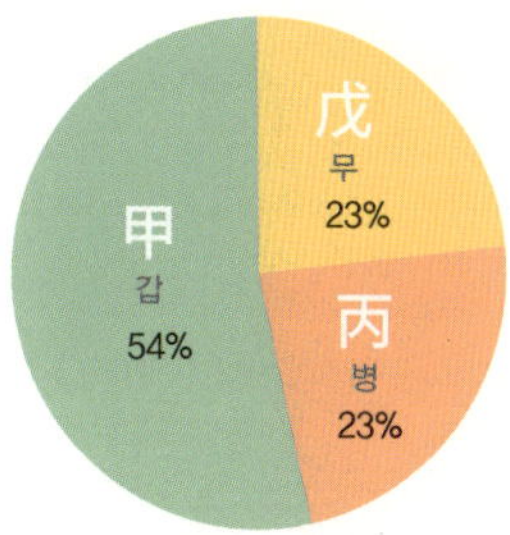

인목의 구성 요소

인목을 대표하는 기운은 갑목이다. 인목 안에는 갑목과 함께 무토와 병화가 공존하고 있는데, 갑목·무토·병화가 모두 양간에 해당하는 기운이고, 기운들이 모두 강한 발산의 힘을 가지고 있기 때문에 역동적인 힘이 강하게 드러난다.

인목의 대표 기운이 갑목이므로, 인목은 양목에 해당한다고 볼 수 있다.

묘

묘卯는 오행으로는 목木, 시간으로는 이른 아침, 계절로는 봄을 의미한다.

- 시간: 묘시卯時 오전 5시 30분~오전 7시 30분
- 월: 묘월卯月 3월 5, 6일(경칩)~4월 4, 5일(청명)

묘의 오행이 목이기 때문에 오행의 이름을 결합하여 묘를 묘목卯木이라 부른다.

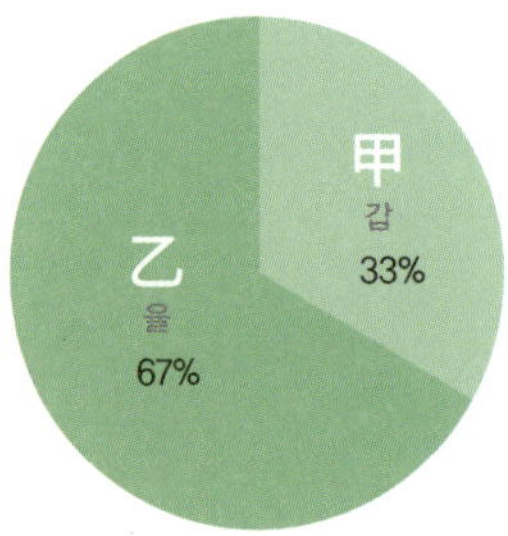

묘목의 구성 요소

묘목을 대표하는 기운은 을목이다. 묘목 안에는 갑목과 을목이 공존하고 있는데, 갑목과 을목의 목 기운으로만 이루어져 있기 때문에 목 기운 특유의 생동력이 잘 드러난다.

묘목의 대표 기운이 을목이므로, 묘목은 음목에 해당한다고

볼 수 있다.

진

진辰은 오행으로는 토土, 시간으로는 아침, 계절로는 늦봄을 의미한다.

- 시간: 진시辰時 오전 7시 30분~오전 9시 30분
- 월: 진월辰月 4월 4, 5일(청명)~5월 5, 6일(입하)

진의 오행이 토이기 때문에 오행의 이름을 결합하여 진을 진토辰土라 부른다.

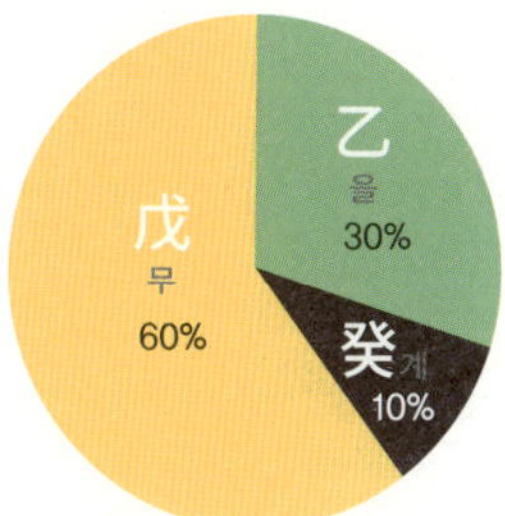

진토의 구성 요소

진토를 대표하는 기운은 무토이다. 진토 안에는 무토와 함께 을목과 계수가 공존하고 있는데, 성향이 다양한 기운이 조화를 이루고 있기 때문에 안정성이 높다.

진토의 대표 기운이 무토이므로, 진토는 양토에 해당한다고 볼 수 있다.

사

사巳는 오행으로는 화火, 시간으로는 오전, 계절로는 초여름을 의미한다.

- 시간: 사시巳時 오전 9시 30분~오전 11시 30분
- 월: 사월巳月 5월 5, 6일(입하)~6월 5, 6일(망종)

사의 오행이 화이기 때문에 오행의 이름을 결합하여 사를 사화巳火라 부른다.

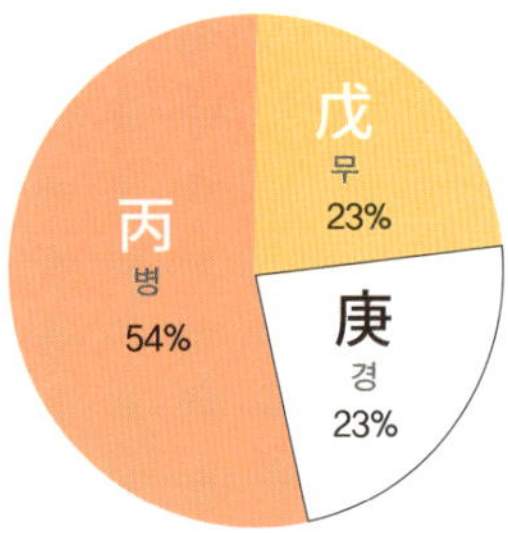

사화의 구성 요소

사화를 대표하는 기운은 병화이다. 사화 안에는 병화와 함께 무토와 경금이 공존하고 있는데, 병화·무토·경금이 모두 양간에 해당하는 기운이고, 기운들이 서로 물러서지 않는 강한 위세를 자랑하고 있기 때문에 변화와 추동의 힘이 맹렬하게 드러난다.

사화의 대표 기운이 병화이므로, 사화는 양화에 해당한다고 볼 수 있다.

오

오午는 오행으로는 화火, 시간으로는 한낮, 계절로는 한여름을 의미한다.

- 시간: 오시午時 오전 11시 30분~오후 13시 30분
- 월: 오월午月 6월 5, 6일(망종)~7월 7, 8일(소서)

오의 오행이 화이기 때문에 오행의 이름을 결합하여 오를 오화午火라 부른다.

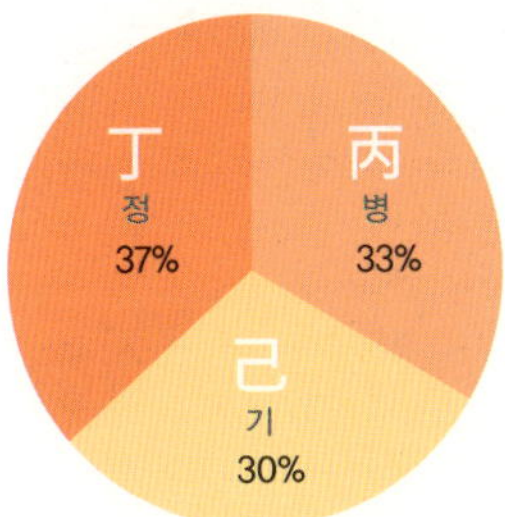

오화의 구성 요소

오화를 대표하는 기운은 정화이다. 오화 안에는 정화와 함께 병화와 기토가 공존하고 있는데, 화 기운이 득세하는 가운데 기토가 그 중간에서 맹렬한 기세를 조율하고 있기 때문에 정점에 오른 열기와 숨을 고르는 평정심 사이의 아슬아슬함이 드러난다.

오화의 대표 기운이 정화이므로, 오화는 음화에 해당한다고 볼 수 있다.

미

미未는 오행으로는 토土, 시간으로는 낮, 계절로는 늦여름을 의미한다.

- 시간: 미시未時 오후 13시 30분~오후 15시 30분
- 월: 미월未月 7월 7, 8일(소서)~8월 7, 8일(입추)

미의 오행이 토이기 때문에 오행의 이름을 결합하여 미를 미토未土라 부른다.

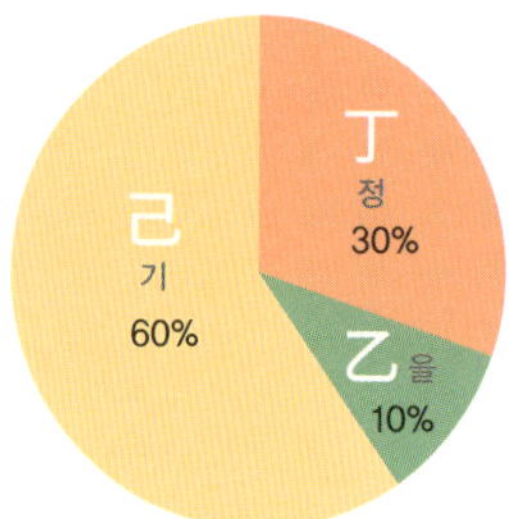

미토의 구성 요소

미토를 대표하는 기운은 기토이다. 미토 안에는 기토와 함께 정화와 을목이 공존하고 있는데, 화·목의 기운이 맹렬하다는 점에 주목해야 한다. 뜨거움을 가득 안은 기토의 열망과 단단함이 잘 드러난다.

미토의 대표 기운이 기토이므로, 미토는 음토에 해당한다고 볼 수 있다.

신

신申은 오행으로는 금金, 시간으로는 오후, 계절로는 초가을을 의미한다.

- 시간: 신시申時 오후 15시 30분~오후 17시 30분
- 월: 신월申月 8월 7, 8일(입추)~9월 7, 8일(백로)

신의 오행이 금이기 때문에 오행의 이름을 결합하여 신을 신금申金이라 부른다.

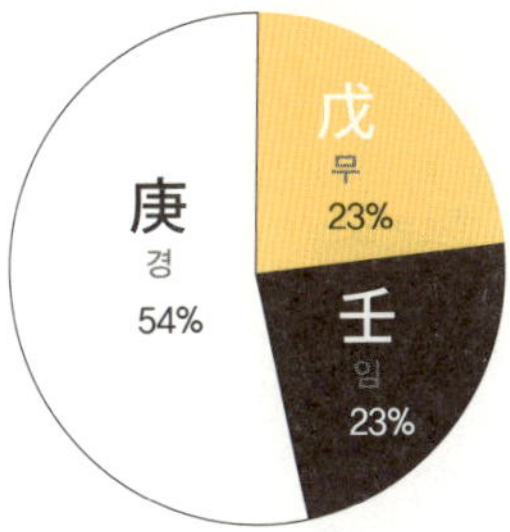

신금의 구성 요소

신금을 대표하는 기운은 경금이다. 신금 안에는 경금과 함께 무토와 임수가 공존하고 있는데, 양간들의 조합이고 경금을 견제할 요소가 없기 때문에 경금의 강인한 기세가 잘 드러난다. 금, 수의 기운이 강하게 작용하여 본격적으로 음의 시간(계절)이 시작되었음을 알리는 기운이다.

신금의 대표 기운이 경금이므로, 신금은 양금에 해당한다고 볼 수 있다.

유

유酉는 오행으로는 금金, 시간으로는 초저녁, 계절로는 완연한 가을을 의미한다.

- 시간: 유시酉時 오후 17시 30분~오후 19시 30분
- 월: 유월酉月 9월 7, 8일(백로)~10월 8, 9일(한로)

유의 오행이 금이기 때문에 오행의 이름을 결합하여 유를 유금酉金이라 부른다.

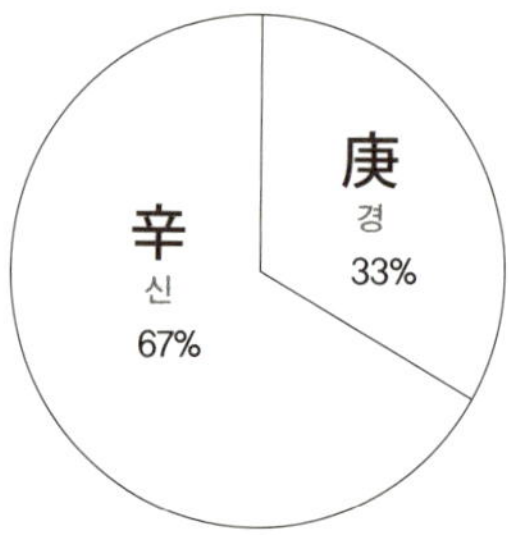

유금의 구성 요소

유금을 대표하는 기운은 신금이다. 유금 안에는 신금과 경금이 공존하고 있는데, 신금과 경금이라는 금 기운으로만 이루어져 있기 때문에 금 기운 특유의 날카로움과 결단력이 잘 드러난다.

유금의 대표 기운이 신금이므로, 유금은 음금에 해당한다고 볼 수 있다.

술

술戌은 오행으로는 토土, 시간으로는 저녁, 계절로는 늦가을을 의미한다.

- 시간: 술시戌時 오후 19시 30분~오후 21시 30분
- 월: 술월戌月 10월 8, 9일(한로)~11월 7, 8일(입동)

술의 오행이 토이기 때문에 오행의 이름을 결합하여 술을 술토戌土라 부른다.

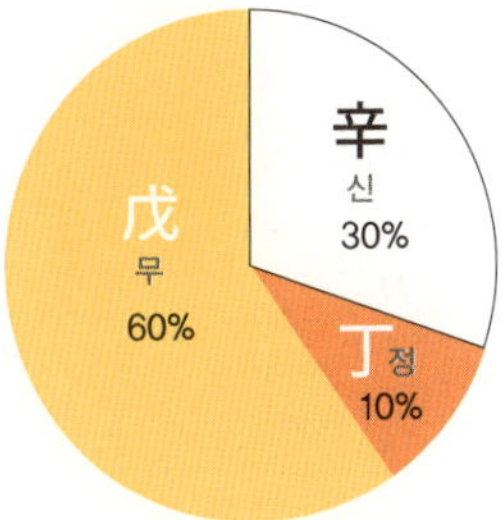

술토의 구성 요소

술토를 대표하는 기운은 무토이다. 술토 안에는 무토과 함께 신금과 정화가 공존하고 있는데, 양간인 무토가 음간들을 품고 있는 형국이라서 무토의 큰 스케일과 수렴의 힘이 동시에 드러난다.

술토의 대표 기운이 무토이므로, 술토는 양토에 해당한다고 볼 수 있다.

해

해亥는 오행으로는 수水, 시간으로는 밤, 계절로는 초겨울을 의미한다.

- 시간: 해시亥時 오후 21시 30분~오후 23시 30분
- 월: 해월亥月 11월 7, 8일(입동)~12월 7, 8일(대설)

해의 오행이 수이기 때문에 오행의 이름을 결합하여 해를 해수亥水라 부른다.

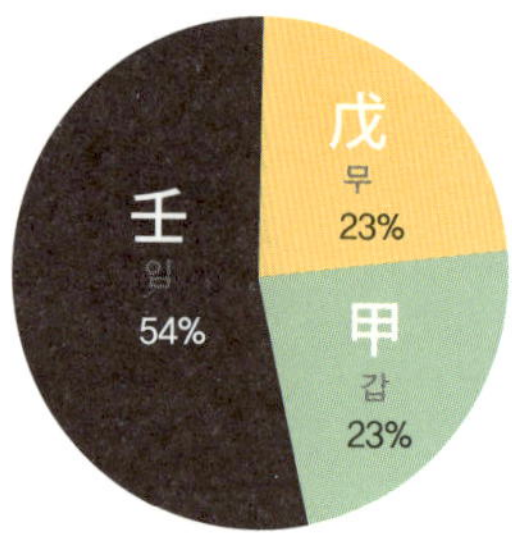

해수의 구성 요소

해수를 대표하는 기운은 임수이다. 해수 안에는 임수와 함께 무토와 갑목이 공존하고 있는데, 임수가 양간들을 품고 있는 형국이라서 강한 활동성과 더불어 수 기운의 여유가 돋보인다.

해수의 대표 기운이 임수이므로, 해수는 양수에 해당한다고 볼 수 있다.

자수
子

- 개요: 지지 중 첫 번째에 해당하는 지지.
- 구성 요소(지장간): 임수+**계수**●
- 자수는 한밤의 힘이자, 한겨울의 힘, 즉 극단적인 음의 힘이다.

천간이 단일한 기운이라면, 지지는 천간의 기운들이 융합된 기운으로 구성되어 있다. 지지에는 다양한 요소가 모여 있는데, 이 다양한 요소를 통칭하는 이름으로 지장간地藏干이라는 용어를 사용한다. 지지[地]에 천간[干]의 기운이 들어 있다[藏]는 의미다. "자수의 지장간은 임수와 계수이다", "술토의 지장간은 신금, 정화, 무토이다"는 방식으로 표현한다.

천간과 다르게 지지는 시간(및 계절)과 직접적으로 연관된 기

● 지장간 중에서 가장 비중이 큰 천간을 강조했다.

운이다. 따라서 지지의 의미를 이해하려면 지지가 상징하는 시간을 고려해야 한다. 시간 그 자체가 의미를 가지고 있고, 그 시간의 의미가 곧 지지의 특성임을 염두에 두어야 한다.

자수는 자정子正의 힘이자, 한겨울의 힘이다.

샘솟는 아이디어

자수는 임수와 계수만으로 이루어진 지지이다. 그렇기에 수 기운의 특성이 가장 선명하게 드러나는 지지라고 할 수 있다. 따라서 자수는 수 기운의 특성인 지혜와 감성의 기운을 가득 담고 있다.

수 기운의 지혜는 겉으로 드러나는 지혜가 아니라 음적인 총명함, 즉 꾀가 많다는 의미다. 자수는 아이디어가 많고, 궁리가 깊으며, 어려운 상황을 타개할 비책의 힘이기도 하다.

또한 자수 하면 감성적인 힘을 빼놓을 수 없다. 예민하고 충만한 감성의 힘이자, 우울의 인자이기도 하다.

잠재된 양

자수는 자정과 절기 동지(12월 22일, 23일경)의 힘이다. 어둠(음)이 절정을 이룬 시간의 기운이다. 가장 어둡고 음의 기운이 강한 시기이지만, 반대로 보자면 양의 기운은 동지에서부터 싹튼다. 동지를 지나면서 비로소 낮의 시간이 길어지기 시작한다. 그래서 자수는 어둠 속에서 움트는 양의 기운을 의미한다.

그 의미를 확장해 보면, 자수는 잠재된 양기, 감추어진 욕망, 은밀한 시작의 힘, 감추어진 재능의 힘을 가지고 있다. 따라서 자수가 강한 이들은 양적인 활동보다는 음적으로 조용하게 일을 도모하는 성향이 강하다고 볼 수 있다.

이 잠재적인 양의 에너지가 자수에게는 새로운 동력이 되며, 어두운 현실을 타개하는 힘이 되기도 한다. 또한 이 에너지는 자수의 인생을 전혀 다른 방향으로 이끄는 (일탈의) 원동력이 되기도 한다.

강한 성적 욕망

오행 수는 생식과 욕망의 힘이다. 따라서 수 기운으로만 이루어진 자수는 성적 욕망의 기운으로 볼 수 있다. 어둠 속에서 은밀하게 양기를 키워 나가는 계절적인 특성으로 미뤄 보더라도 자수의 은밀한 성적 욕망을 확인할 수 있다. 따라서 사주에 자수가 활성화되어 있다면 성적인 에너지를 잘 컨트롤해야 한다.

오행 수는 인기를 끄는 힘이기도 하기 때문에 자수는 남에게 주목받는 기운이면서, 주목받아야 직성이 풀리는 힘이다. 특히 자수는 밤의 시간을 의미하는 지지라서 늦은 밤에 자신의 진가를 드러낸다고 볼 수 있다.

자수는 술과도 관련이 깊다. 욕망 그 자체인 자수의 기운이 술의 힘을 빌려 폭발하는 것이다. 특히 일지에 자수가 놓여 있는 사주의 경우, 술과 약물에 의존하는 경우가 많다. 따라서 자수가 강한 사람들은 인기, 밤, 술자리라는 키워드를 활용해 자신의 장점을 드높이고, 스스로를 경계해야 하겠다.

자수의 핵심 키워드: #지혜, #감성, #성욕

축토
丑

- 개요: 지지 중 두 번째에 해당하는 지지.
- 구성 요소(지장간): 계수+신금+**기토**
- 축토는 밤의 힘이자, 늦겨울의 힘이다.

준비와 끈기의 힘

새벽의 환경은 아직 엄혹하다. 마음은 들뜨지만 동이 트기에는 멀었다. 자수에서 생명을 향한 열망이 일어났다면, 축토는 그 열망을 잠시 뒤로하고 스스로 준비하는 힘이다. 함부로 열망을 드러냈다가는 겨울의 추위로 인해 가차 없이 싹이 잘리기 때문이다.

따라서 축토는 드러내지 않고, 미래를 준비하는 힘을 의미한다. 우직하게 자신의 할 일을 하면서 앞날을 도모하는 힘이 축토의 본질이다. 자신의 영역에서 끈기 있게 본연의 일에 몰두하는 것도 축토만이 가진 장점이다.

축토는 운동성이 전혀 없는 기운이기 때문에 굼뜨고 강한 고집을 자랑한다. 남들이 강제로 시키면 한 발짝도 움직이지 않지만, 스스로 움직여야겠다고 생각하면 천천히 움직여 결국 천릿길을 가는 것이 축토이다.

감정 표현은 숙제

축토의 지장간을 살펴보면, 구성 요소가 모두 음간으로 이루어져 있는 것을 확인할 수 있다. 기토가 중심이 되어 음간들을 품고 있는 형국이므로 축토는 수렴과 응축의 힘을 가장 잘 드러낸다. 겉으로 드러내는 것이 아니라 안으로 품고 웅크리는 힘이 축토의 본질이다.

수렴의 힘이 강하기에 축토가 강한 사람들은 지난 감정이나 기억을 안고 살아가는 경우가 많다. 기억력이 좋다는 장점으로 볼 수도 있겠지만, 감정 표현의 타이밍을 놓치는 경우가 많다. 그래서 늘 표현의 문제에 신경 써야 한다. 억울한 감정, 우울한 감정을 겉으로 표현해서 내면에 울화가 쌓이지 않도록 경계해야 한다. 스스로를 밝은 방향으로 이끌어야 하는 것이다.

묵묵히 봉사하는 힘

축토는 꽃이 피기 바로 직전의 단계이다. 축토에서 최대한 힘을 끌어모아 비축해야 인목의 단계에서 새싹으로 폭발할 수 있는 것이다. 따라서 축토는 앞장서거나 주목받기보다는 묵묵히 봉사하는 공동체의 힘으로 볼 수 있다.

개인의 이익보다는 공공의 이익, 눈앞의 이익보다는 먼 미래의 이익을 위해 양보하고 배려하는 힘이다. 또한 자의나 타의에 의해 자연스럽게 희생하는 힘이기도 한데, 이는 축토만이 가진 지혜이기도 하다. 스스로 나섰다가는 어차피 결과를 얻지 못하는 경우가 많기 때문에 희생을 통해 훗날의 이익을 도모하는 것이다.

축토의 핵심 키워드: #끈기, #응축, #실속

인목
寅

- 개요: 지지 중 세 번째에 해당하는 지지.
- 구성 요소(지장간): 무토+병화+**갑목**
- 인목은 새벽의 힘이자, 초봄의 힘이다.

순수한 폭발

자수에서 잉태된 양의 기운은 축토라는 성숙기를 거쳐 인목의 단계에 오면 폭발한다. 인목은 이제 막 땅을 뚫고 올라온 기운이며, 서툴고 순수하고 계산적이지 않고 낯선 것을 즐기는 용기를 의미한다. 뒤는 생각하지 않고 거침없이 낯선 것에 도전하는 힘이다.

인목은 봄이 되면서 땅 위로 솟구쳐 오르는 맹렬한 기운을 의미한다. 어느 지지보다 역동적인 힘과 추진력, 돌파력이 강하다. 저항하는 모든 것을 뚫고 앞으로 나아가며, 결국 하고 싶은 일을 해내는 것이 인목의 본질이다.

돈보다 명예

인목의 지장간을 살펴보면, 구성 요소가 모두 양간이다. 양간 중 자신을 드러내는 발산의 기운이 강한 갑목, 병화, 무토로 구성되어 있기 때문에 모든 간지 중 가장 자존심이 세고, 주관이 뚜렷하다. 웬만해서는 인목의 주장을 꺾기가 어렵다. 자기 확신과 자존심의 왕이 바로 인목이다. 따라서 자존심을 상하게 하는 것은 인목의 모든 것을 꺾어 놓는 일이니, 주의해야 한다.

강한 양간의 기운은 아무래도 권력과 관련이 깊다. 권력 중에서도 인목은 명예와 깊이 관련되어 있다. 인목은 돈보다는 명예, 즉 이름이 알려지길 바라는 욕망이 강하며, 주목받고 싶은 욕망이 넘친다. 어딜 가도 폼이 나고 멋있어야 하며 자존심을 구기지 않아야 한다.

고독한 모험가

축토가 한 장소에서 미래를 도모하는 힘이라면, 인목은 움직이며 가능성을 탐구하는 힘이다. 몸 안에서 강한 욕망이 좌충

우돌하면서 예측할 수 없이 요동친다. 움직여야 직성이 풀리며, 여기에 머물러 있으면서도 항상 저기를 꿈꾸는 사람이 많다. 여행과 탐험은 인목과 떼려야 뗄 수 없는 단어이다.

인목의 영혼은 독립적이며 자유롭다. 사람들 앞에 나서는 것도 좋아하지만 기본적으로 독립심을 가지고 있기 때문에 의외로 협동심이 약한 편이고, 모험가의 고독한 매력이 돋보이는 것이 인목이다.

인목의 핵심 키워드: #도전, #명예, #이동

묘목
卯

- 개요: 지지 중 네 번째에 해당하는 지지.
- 구성 요소(지장간): 갑목+**을목**
- 묘목은 이른 아침의 힘이자, 봄의 힘이다.

사방으로 발산되는 에너지

인목의 단계에 와서 폭발적으로 도약한 양의 기운은 묘목에 이르러 비로소 안정감을 가지고 사방으로 뻗어 나가기 시작한다. 이제는 걸림돌이 존재하지 않기 때문에 목 기운의 이상을 자유롭고 편안하게 사방으로 펼치는 것이다. 완연한 아침의 힘, 봄의 힘이 바로 묘목이다.

묘목의 가장 큰 특징은 에너지를 사방으로 발산한다는 것이다. 인목이 하나의 목표를 정해 강하게 돌파하고 도전하는 힘이라면, 묘목은 물의 파문처럼 은은하지만 활기차게 사방으로 퍼져 나가는 힘이다. 넓게 퍼져 가는 힘이기에 묘목은 다양한 분야에 대한 깊은 관심과 고른 성취와도 연결된다. 세상을 향한 건강한 호기심과 탐구의 힘이다.

수평적인 대인 관계

묘목이 발산하는 에너지는 주변 사람들에게 베푸는 인정으로 발현된다. 묘목은 사회생활을 활발히 하며, 인정이 많고 온순하다. 모든 일에 적극 참여해 가치를 만들어 내고 그것을 사람들과 나누고 싶어 한다. 특히 묘목은 가치의 상대성을 이해하는 힘이며, 낯선 상대를 이해하고 포용하는 힘이다. 이 때문에 기본적으로 탈권력적이고, 권위에 복종하기보다는 모두를 배려하는 수평적 인간관계를 맺어 간다.

하지만 옆으로 발산하는 힘 때문에 애써 성취한 것을 사람들과 나누어 버리는 것이 묘목이다. 상대적으로 실속은 적다고 볼 수 있다.

소조의 힘

유금이 조각의 힘이라면, 묘목은 소조의 힘이다. 작고 예쁜 것을 붙여 나가면서 섬세한 공예품을 만드는 것이 묘목의 힘이다. 시행착오를 거듭하면서 세밀하고 창의적인 작업을 하는 것이 바로 묘목의 지향성이다. 섬세한 덧붙임의 미학인 묘목의 힘은 공예, 패션과 디자인, 인테리어, 조경, 출판 분야에서 두각을 드러낸다.

지지 중에서 신체 기관과 잘 대응되는 지지가 있는데, 자수(해수)와 묘목이다. 자수(해수)는 정신력(뇌)과 큰 관련이 있고, 묘목은 뼈(관절)와 관련이 깊다. 사주에서 묘목의 힘이 극을 당하는 경우 뼈(관절)의 사고와 연결되는 경우가 많다.

묘목의 핵심 키워드 : #생동력, #인정, #섬세함

진토
辰

- 개요: 지지 중 다섯 번째에 해당하는 지지.
- 구성 요소(지장간): 을목+계수+**무토**
- 진토는 아침의 힘이자, 늦봄의 힘이다.

경계의 힘

진토와 술토의 공통점은 경계의 힘이라는 점이다. 술토는 양에서 음으로 넘어가는 경계의 힘이고, 진토는 음에서 양으로 넘어오는 경계의 힘이다. 즉 진토는 음의 시간(밤, 겨울)을 닫고, 본격적으로 양의 시간(낮, 여름)을 열어 주는 수문장의 힘이라고 할 수 있다. 음의 시간에 기반을 둔 채 양의 시간을 관장하는 힘이 바로 진토의 본질이다.

기본적으로 무토의 힘이 강한 지지이므로 진토는 권력과 지배욕을 가지고 있다. 또한 명예와 체면을 중시하는 성향이 강하다. 그런데 진토가 남을 지배하는 방식이 독특하다. 지나치게 이상적이고 허무맹랑한 미래 비전을 내세우는 경우가 많은 것이다. 현실감각이 부족하고 스케일이 지나치게 커 허세가 드러나기도 하는데, 이는 진토가 음과 양의 경계의 힘이라서 나타나는 현상이다. 음과 양 한쪽에 집중하지 못하고, 경계 너머의 힘을 동경하는 것이다.

돋보이는 결단력

진토의 가장 큰 장점은 서로 다른 존재들을 아우른다는 점이다. 목소리가 다른 이들을 모두 끌어안고 조율할 때 진토의 진가가 드러난다. 진토는 비난을 수용하고, 불협화음을 조정한다. 그리하여 많은 이가 진토의 넓은 마당으로 모인다.

진토는 결단의 힘이다. 묵은 세력과 기운을 과감히 정리하는 힘이 강하다. 또한 진로를 과감히 바꾸기도 한다. 이런 성향 때문에 현실적으로 실현하기 어려운 과제에 도전하는 경우가 많으며, 큰일이 닥쳤을 때 오히려 차분해지면서 상황을 전환할 과감한 결정을 내리는 경우가 많다. 진토는 위기와 혼란을 은근히 기다리는 성향이 있다. 큰 위기는 자신의 능력을 발휘할 기회가 되기 때문이다.

어두운 내면

진토의 지장간을 보면, 양간인 무토가 음간인 을목과 계수를 품고 있는 형국이다. 표면적으로는 양간의 기세가 강해 보이지만, 그 내면에는 음간의 힘이 강하게 자리 잡고 있어, 진토는 겉과 속이 다른 이중적인 특성을 가지고 있다. 진토가 강한 경우 겉과는 다르게 내면에는 어둠을 안고 살아가는 경우가 많다.

숨겨진 음, 혹은 숨겨진 계수 때문에 진토는 위기에서 발휘한 영웅적인 힘을 끝까지 강하게 밀어붙이지는 못한다. 겉으로는 해결되었지만, 끝까지 남아 있는 묵은 기운에 신경이 쓰이기 때문이다. 따라서 진토는 마음속에 자리 잡은 은밀한 고민을 어떻게 해결하느냐가 중요하다.

진토는 신체 기관 중 피부와 밀접한 관련이 있다. 사주에 진토가 강하고 주변에 수 기운까지 있다면 여드름을 비롯한 피부 트러블에 노출되어 있다고 본다. 무토가 안고 있는 내면의 음기가 불러오는 현상이다.

진토의 핵심 키워드 : #권력, #통합과 결단, #내면의 어둠

사화
巳

- 개요: 지지 중 여섯 번째에 해당하는 지지.
- 구성 요소(지장간): 무토+경금+**병화**
- 사화는 오전의 힘이자, 초여름의 힘이다.

맹수 같은 추진력

사화는 양력 5월의 기운이다. 겨울을 완전히 떨쳐 버리고, 뜨거운 여름으로 맹렬하게 나아가는 시기로 볼 수 있다. 사화는 극단으로 치닫는 기운이다. 사화의 맹렬함은 먹잇감을 코앞에 둔 맹수의 폭발적인 추진력으로 비유할 수 있는데, 그만큼 강하고 독보적이고 거침없는 기운이다.

병화가 단순히 강하게 뻗치는 힘이라면, 사화는 목표를 정하고 추진해 이루어 내는 힘이다. 수단과 방법을 가리지 않고 일단은 내 것으로 취하는 악착같은 힘이다. 또한 단순히 고집과 오기를 부리는 기운이 아니라 강하게 밀어붙여 결과를 만들어 내는 힘이기에 의외로 능수능란한 면이 돋보인다. 분주히 움직여 어떻게든 방법을 찾아내는 힘이다.

고위 행정 관료, 군경

사화의 중요한 특징은 바로 명석한 두뇌와 용의주도한 업무 능력이다. 업무 환경을 재빨리 파악하고, 업무의 방향을 자신에게 유리하게 바꿔 가며 전체를 장악한다. 프로의 완벽함과 용의주도함으로 집단에서 자신의 위상을 드높인다. 사화의 지장간 안에 있는 경금이 전체의 판세를 일순간에 파악하고, 병화의 추진력과 무토의 활동력이 더해진 결과이다.

사화는 권력의 글자이기도 하다. 인목의 권력이 명예, 진토의 권력이 형이상학적인 의미가 강하다면, 사화의 권력은 행정적이며 실질적인 권력을 의미한다. 자신의 노력으로 시스템을 장악해 성취한 권력이기에 사화의 권력이야말로 실질적이고, 사람들을 휘어잡을 수 있는 권력이다. 이런 특징으로 인해 사주에 사화가 강하다면 고위 행정 관료, 경찰, 군인과 같은 직업군에서 능력을 발휘하는 사람이 많다.

한 템포 늦추기

사화의 핵심은 지장간의 경금이라고 볼 수 있다. 이 경금이 무토와 병화 사이에서 밸런스를 잘 맞추고 있기 때문에 크게 성취할 수 있는 것이다. 그런데 사주의 구성에 의해 경금이 무력해지는 순간 에너지가 한쪽으로 치우치게 된다. 지나치게 양기가 강화되어 성급함과 분노 조절 실패로 인해 문제를 일으키는 경우가 많다. 사화는 상대방을 제어하는 방식으로 대인 관계를 맺기 때문에, 양기가 조절되지 않는 순간 대인 관계에서 문제가 바로 드러난다. 템포를 늦추는 지혜가 필요하다.

사화는 지장간이 양간들로만 구성되어 있고, 병화의 맹렬함을 뒷받침해 줄 수 있는 목 기운을 가지고 있지 않다. 따라서 개성의 표현과 활동력에서는 큰 강점을 보이지만, 끈기는 약하다고 볼 수 있다. 아주 긴 시간을 투자해 성취해야 하는 일과는 어울리지 않는다.

사화의 핵심 키워드: #정열, #활동력, #용의주도함

오화
午

- 개요: 지지 중 일곱 번째에 해당하는 지지.
- 구성 요소(지장간): 병화+기토+**정화**
- 오화는 한낮의 힘이자, 한여름의 힘, 즉 극단적인 양의 힘이다.

극단의 활동성

한낮의 기운인 오화의 지장간을 보면, 기토가 병화와 정화를 잠시 붙들고 있는 형국이다. 출발 후 가장 높은 곳까지 올라간 롤러코스터가 하강하기 직전의 기운이 오화이다. 극단까지 차오른 기운이며, 언제 어디로든 순식간에 폭발할 수 있는 아슬아슬한 기운이다. 강한 활동성 탓에 오화는 역마살을 의미하는 글자가 아닌데도 사주에 오화가 있으면 역마살의 기운이 있는 것으로 보기도 한다.

오화의 활동성은 순수하고 두려움 없이 멀리 떠나는 힘이다. 낯선 것을 두려워하지 않고, 오히려 그 상황에서의 교류를 받아들이고 즐긴다. 따라서 여행이나 유학, 이상, 모험과 잘 어울린다.

한껏 발산하는 힘

오화는 화 기운이 똘똘 뭉친 기운답게 최적화된 발산의 힘이다. 숨김이 없고, 드러내고 표현하는 데 주저함이 없다. 명랑하고 쾌활하며 거짓이 없는 성격이고, 밝게 자신을 드러내기 때문에 인기를 끌어모으는 의미 또한 가지고 있다.

오화는 자신을 숨김없이 드러내는 발산의 힘으로 인해 풍부한 감수성과 고유한 미적 감각의 힘이기도 하다. 즉흥적인 예술성을 가지고 있고, 자신만의 스타일을 마음껏 과시한다.

이러한 발산의 힘 때문에 오화는 언론, 교육, IT, 시각예술 분야의 직업과 관련이 깊다.

극단적인 길흉

자수는 음의 극단의 힘이고, 오화는 양의 극단의 힘이다. 음의 극단인 자수가 침잠·우울의 인자를 가지고 있다면, 양의 극단인 오화는 파괴와 변동의 인자를 가지고 있다.

그 막강한 열기로 인해 성과를 낼 때는 엄청난 성과를 내지만 그렇지 않을 때는 한없이 초라해지는 것이 오화이다. 이처럼 오화는 길흉의 폭이 아주 크다. 컨디션과 주변 상황에 따라 극단적인 결과를 가져온다. 따라서 사주에 오화가 강한 사람은 화 기운을 풀어내는 방법을 배워야 한다.

오화의 핵심 키워드: #활동성, #발산, #변동성

미토
未

- 개요: 지지 중 여덟 번째에 해당하는 지지.
- 구성 요소(지장간): 정화+을목+**기토**
- 미토는 낮의 힘이자, 늦여름의 힘이다.

극렬한 화 기운

미토는 시간으로는 정오가 막 지난 시간, 계절로는 양력 7월에 해당한다. 실제로는 가장 덥고 뜨거운 시간이다. 물상으로는 한여름의 뜨겁고 마른 땅이다.

사화를 거쳐 오화까지 치달으며 맹위를 떨치는 양의 기운을 잘 달래고 잠재워야 가을을 맞이할 수 있다. 화 기운을 달래기 위해 기토가 동원되어 중심을 이루고 있지만, 실질적으로는 화 기운이 아주 극렬한 것이 미토이다. 중심이 되는 기운은 오행

토이지만, 그 안의 화 기운이 맹렬하기에 경우에 따라서는 미토를 화 기운으로 해석하기도 한다. 미토를 이해하려면 화 기운을 품어서 잠재우는 미토의 역할과 이중성을 기억해야 한다.

역경을 이겨 내는 끈기

봄을 피워 내기 위해 음기를 끌어안고 승화시키는 기운이 축토라면, 가을의 결실을 위해 양기를 끌어내 승화시키는 기운이 미토이다. 축토가 어둠과 침잠을 극복하고 결실을 맺는 기운이라면, 미토는 내면에서 끓어 넘치는 화와 분노를 참아 내고 결실을 맺는 기운이다.

미토는 내면의 화를 달래 가며 승화시키는 기운이기 때문에 고통과 억압을 이겨 내고 마침내 성취하는 힘이다. 토 특유의 억압적인 현실을 참아 내는 성향과 끈기가 강하다. 고집스럽게 버텨 내서 마침내 이루어 내는 것이 미토의 진가이다.

미토는 영성, 신앙, 직관의 힘이기도 하다. 마음속의 울화를 풀어내기 위해 특히 영성이 발달했다고 볼 수 있으며, 그 결과 고고하고 강직한 삶의 태도를 갖춘 사람이 많다. 미토가 강한 경우, 섬세하고 예민한 데다 끝까지 버티려고 안간힘까지 쓰다 보니 힘에 부쳐 신경성 두통에 시달리는 사람이 많다. 너무 강하면 승화가 불가능한 것이다.

가족이 숙제

사주에 미토가 강한 사람들은 희생정신이 강하다. 모든 사람에게 퍼주는 스타일이 아니라 작은 조직이나 가족, 친구에 한정해서 희생하는 편이다. 특히 자식을 위해 희생하는 경우가 많다. 그래서 미토가 강한 사람들은 가족과의 관계를 어떻게 풀어내느냐가 숙제다. 행복과 고통 모두 가족들과의 관계에서 결정되는 경우가 많기 때문이다.

미토의 핵심 키워드: #뜨거운 땅, #인내와 성취, #가족

신금
申

• 개요: 지지 중 아홉 번째에 해당하는 지지.
• 구성 요소(지장간): 무토+임수+**경금**
• 신금은 오후의 힘이자, 초가을의 힘이다.

결실과 실속의 기운

미토가 화 기운을 잘 달래서 품어 준 덕분에 신금은 본격적으로 가을과 겨울을 준비할 수 있게 되었다. 음기의 시작을 알리는 신금은 결실과 실속의 기운이다. 목 기운과 화 기운이 지배하는 봄과 여름이 실속이 없는 도전과 열정의 시기였다면, 이제 금 기운이 지배하는 가을은 결실을 맺기 위해 도모하고 결실을 얻는 결과로 이어지는 시기이다.

따라서 신금은 특별한 재능과 기술의 기운을 의미한다. 사회적 성취와 연결되는 실속 있는 재능의 발현을 의미하며, 끼와 두뇌 회전을 바탕으로 성과를 내는 힘이다. 활동적인 전문가의 힘도 의미한다. 자기 확신이 아주 강해서 조직, 집단과 융화하는 힘은 다소 떨어진다고 할 수 있다.

인기와 결단의 힘

신금의 중심을 이루는 경금이 아주 강렬하게 결실을 향해 가는 기운이라서 신금 역시 강한 결단력과 실리적인 힘을 가지고 있다. 총명함에서 비롯된 우월감을 바탕으로 독단적이면서도 과감한 결정을 내린다.

또한 신금에서 주목할 만한 점은, 순간적으로 간파하는 능력이다. 중간 과정을 거치지 않고 바로 본질에 가닿아 통찰을 얻는 것이 신금이다. 마치 우주와 직접 소통하듯이 말이다.

인목, 진토, 사화처럼 신금 역시 권력과 관련이 깊다. 사화가 행정적인 권력을 의미한다면 신금은 인기에 기반을 둔 권력에 관심이 많다. 선출직 공무원의 권력에 해당하며, 언론을 이용해 자신의 지지 기반을 유지하는 경우가 많다. 따라서 신금은 정치와 아주 관련이 깊은 힘이라고 볼 수 있다.

서툰 마무리

신금의 지장간을 보면, 모두 양간으로만 구성되어 있다. 힘은 강하지만, 힘을 쓴 만큼 성취하기는 어려운 기운인 것이다. 신금은 가을의 기운이기는 하지만, 아직은 설익은 기운이고, 성취하기 위해 분주히 노력하지만 꼼꼼함이 부족한 기운이다. 마무리에 서툰 경우가 많다. 따라서 재능이 성취로 연결되지 않는 경우도 많다.

재능은 있지만 인기와 자만에 도취되어 쉽게 고꾸라지기도 하는데, 이 때문에 신금은 곧잘 우울해지거나 신경질적으로 변한다. 신금은 결실을 맺으려는 의지는 강하지만 아직은 서툰 기운이라서 단계적으로 결실의 과정을 밟는 여유가 필요하다.

신금의 핵심 키워드: #재능, #순간적인 통찰력, #서툰 마무리

유금
酉

- 개요: 지지 중 열 번째에 해당하는 지지.
- 구성 요소(지장간): 경금+**신금**
- 유금은 초저녁의 힘이자, 완연한 가을의 힘이다.

날카로움의 양면

유금은 경금과 신금만으로 이루어진 지지이다. 그렇기 때문에 금 기운의 특성인 강인하고 날카로운 기운이 선명하게 드러난다. 특히 신금의 힘이 주를 이루기에 칼과 같이 예리하고 정교한 기운이 돋보이는 것이 유금이다.

이 예리한 기운은 원칙과 소신을 지키는 과단성, 청렴함과 솔직함으로 드러난다. 또한 불의에 항거하는 용기와 결벽증적인 성향으로 나타나기도 한다. 하지만 유금의 날카로움은 양면을 가지고 있다. 직설적이고 날카로운 말로 주변 사람에게 상처를 주는 경우가 많으며, 이로 인해 스스로도 고통받는다. 날카롭고 예리한 칼을 어떻게 사용하느냐는 유금의 과제라고 볼 수 있다.

유금의 날카로움은 정교하고 예리한 물건을 다루는 힘으로도 드러난다. 세공·금융·제조 분야와 각별한 인연이 있고, 특히 칼을 다루는 분야, 의료계와도 어울리는 힘이다. 또한 유금의 날카로움은 통찰과 분류의 힘으로 드러난다. 사람의 내면을 꿰뚫어 보는 예리한 통찰과 사물을 분류하여 정돈하는 힘은 유금만이 가진 큰 장점이다.

마무리의 힘

가을의 기운인 유금은 마무리와 결실의 힘이다. 끝맺음·마무리에 최적화된 힘이며, 야무지게 결실을 만들어 내는 것이 유금이다. 그만큼 유금은 현실적인 감각이 뛰어나다고 볼 수 있는데, 군더더기를 줄이고 최대의 성과를 내는 효율과 가성비가 높은 기운이다. 따라서 유금은 현금성 재산과 연결되는 경우가 많으며, 그 자체로 값진 성취의 기운이기도 하다.

하지만 당장에 결과를 만들어 내지 못하면 조급해지기 때문에 그만큼 결과에 대한 과도한 집착, 승부욕, 과로가 항상 따라다닌다.

강한 안정 욕구

유금은 움직임이 최대한 억제된 기운이다. 돌아다니는 것을 좋아하지 않으며, 자신이 정한 자리에 머물면서 일하는 것을 선호한다. 또한 정리 정돈과도 빼놓을 수 없는데, 주변이 잘 정리 정돈되어야 마음이 편안해진다. 자신의 업무 환경을 편안하고 깔끔하게 유지하며 그 공간에서 지속적이고 안정적으로 일을 하는 것이 유금의 이상이다.

유금은 안정에 대한 욕구가 강해 모험심이 약하고, 나아가야 할 때 머뭇거리다가 기회를 놓치는 경우가 많다. 자리를 지키려는 힘 때문에 변동과 변화를 거부하는 것이다. 하지만 일단 결정을 하고 나면 뒤돌아보지 않고 흔들림 없이 밀고 나가기 때문에, 유금이 앉은 자리에서 꽃이 피어난다.

유금의 핵심 키워드: #날카로움, 결실, #한자리를 꾸준히 지킴

술토
戌

- 개요: 지지 중 열한 번째에 해당하는 지지.
- 구성 요소(지장간): 신금+정화+**무토**
- 술토는 저녁의 힘이자, 늦가을의 힘이다.

과감한 정리

앞에서 살펴보았듯이 진토와 술토는 모두 경계의 힘이다. 진토는 음에서 양으로 넘어가는 힘이고, 술토는 양에서 음으로 전환되는 힘이다. 진토가 음의 시간을 닫고 양의 시간을 열어 주는 생명의 수문장이라면, 술토는 양의 시간을 닫고 음의 시간을 열어 주는 어둠의 수문장이다. 양의 시간에 기반하고 있지만, 음의 시간을 관장하는 것이 술토의 본질이다.

진토의 권력이 이상적이고 비현실적인 미래의 가치를 내세워 남들에게 희망을 심어 주는 방식으로 작동한다면, 술토의 권력은 현실의 가치를 초월하여 독특한 정신세계를 열어 주는 것에 특화되어 있다. 현실의 희로애락을 모두 끌어안고 고고한 정신의 세계를 지향하는 술토는 "해체, 정리, 전환, 재배치"의 의미를 안고 있다. 다가오는 겨울에 대비하기 위해 버려야 할 것과 간직해야 할 것을 정리하는 기운인 것이다.

모아서 정리하는 의미가 있기에 술토는 산업적인 역량과 관련이 깊다. 건설, 전기, 해체, 분해, 조립, 수리 분야에서 두각을 드러낸다.

부모의 마음

진토에 비해 술토는 훨씬 활동 범위가 크다. 관심 영역이 넓고, 이동 범위가 큰 것이 특징이다. 분주한 활동력에 호기심까지 갖추었기 때문에 다양한 분야에 관심이 많고, 다양한 재능을 발휘하는 힘이다.

술토는 인간에 대한 따뜻한 애정과 의리가 있는 기운이기도 하다. 많은 사람을 진심으로 아끼고 포용하는 한편, 그들의 아픔을 헤아려 주는 부모의 마음을 갖춘 것이 술토이다.

감추어진 열정

겨울을 준비하는 기운이라는 점에서 술토는 음적인 성향과 연결되지만, 실제로는 그 안에 화 기운을 많이 품고 있다. 술토의 지장간 안에 자리 잡은 정화는 겉으로 잘 드러나지는 않지만 술토의 내면에 강한 열정을 불어넣어 준다.

마음속에 열정이 가득 차 있는데 겨울을 준비하기 위해 그 열정을 겉으로 마음껏 드러낼 수 없다는 점은 술토에게 이중성을 부여한다. 음과 양을 이어 주는 지지들의 특성이라고 볼 수 있는데, 이러한 이중성 탓에 술토가 강한 경우 공허와 불안, 말하지 못하는 고민을 안고 살아간다고 보기도 한다.

진토와 마찬가지로 술토 역시 신체 기관 중 피부와 밀접한 관련이 있다. 사주에 술토가 강하고 주변에 화 기운까지 있다면 아토피, 건선 등의 피부 트러블에 노출되어 있다고 본다. 술토 안에 도사리고 있는 화 기운이 불러오는 현상이다.

술토의 핵심 키워드: #정리, #활동력과 따뜻함, #이중성

해수
亥

- 개요: 지지 중 열두 번째에 해당하는 지지.
- 구성 요소(지장간): 무토+갑목+**임수**
- 해수는 밤의 힘이자, 초겨울의 힘이다.

에로스의 힘

해수의 중심이 되는 기운이 임수다. 해수는 임수의 특성으로 인해 성적인 생명의 에너지가 넘친다. 자수는 오행 수로만 이루어져 있기 때문에 그 자체로 성적 욕망의 힘이라고 본다면, 해수는 그 안에 다양한 요소를 안고 있으므로 사회적으로 잘 조율된 에로스의 힘이라고 볼 수 있다. 해수가 가진 생명의 에너지는 느긋한 쾌락의 에너지로 볼 수 있는데, 해수의 에로스는 평소에는 잠잠하다가 어떤 조건이 되는 순간 폭발적으로 분출

되는 경향이 있다. 해수 안에 들어 있는 양간들의 충동에 의한 결과다.

해수의 주요한 특징은 총명하고 머리 회전이 빠르다는 것이다. 자수의 총명함이 두뇌와 감성에 특화되어 있다면, 해수의 총명함은 사회적인 성취와 곧바로 연결되는 경우가 많다. 즉, 학교 공부와 세상살이에 직접 써먹을 수 있는 현실적인 영리함을 갖추고 있는 것이다. 하지만 자기 주도적인 성향은 약해서 과제와 압박이 주어지거나 동기 부여가 있어야만 그 능력이 배가된다.

타고난 먹을 복

해수는 온순하고 느긋한 기운을 가지고 있다. 잘 웃고, 여유가 있으며, 베풂의 미덕을 잃지 않는다. 금전 관리에는 취약한 면을 보이지만, 먹을 복은 기본적으로 타고난 것이 해수이다. 음식에 관심이 많고, 먹는 행위를 통해 스스로를 치유하고 미래의 꿈을 품는다.

사주에서 수水는 소리와 통한다. 특히 해수는 소리의 힘을 의미하는데, 사주에 해수가 강한 사람 중에 뛰어난 가수가 많다. 또 언변과 목소리로 대중에게 사랑을 받는 정치인이나 예술가와 어울리는 힘이기도 하다.

지지의 인寅, 신申, 사巳, 해亥는 모두 이동의 의미를 품고 있다. 이를 역마살이라고 하는데, 특히 해수는 지장간 임수의 영향으로 큰물이나 바다와 연관되어 있다. 따라서 해외와 유독 관련이 많다고 볼 수 있다. 유학이나 여행, 이민과 어울리는 힘이다.

혼자의 시간 필요

해수는 넓은 대인 관계를 유지하려고 한다. 하지만 늘 혼자만의 장소와 시간으로 돌아가는데, 이 혼자만의 시공간에서 창조가 시작된다. 이때 현실 세계를 넘어서는 독특한 역량을 발휘하는데, 주로 음악·예술·문학·사진 등의 분야에서 두각을 드러낸다. 어둠 속에서 통찰과 예지력으로 세상을 관조하는 것이 해수다.

해수는 음을 극단까지 밀어붙이는 힘이다. 이는 곧 사유를 끝까지 밀어붙이는 것, 지겨운 과정을 견디어 내는 것, 인내심을 가지고 자기 연구를 지속하는 것으로 확장된다. 해수가 음의 힘을 극한까지 밀어붙였을 때 비로소 해수에게 새로운 양陽을 형성하는 창조의 능력이 생긴다. 이 양의 기운은 먼 미래에 다가올 봄의 씨앗이 된다.

해수의 핵심 키워드: #에로스와 총명함, #먹을 복, #창조력

5장

사주명리의 모든 것, 십신

사주의 기준은 '일간'

지금까지 사주명리의 기본 체계를 이루는 음양과 오행, 오행의 상생상극, 천간과 지지에 대해 살펴보았다.

하지만 이것만 가지고는 구체적으로 한 사람 삶의 현장을 이해하기는 부족하다.

	시	일	월	연
천간	庚 경	甲 갑	丁 정	癸 계
지지	午 오	寅 인	巳 사	亥 해

계해년, 정사월, 갑인일, 경오시에 태어난 사람이 있다고 가정하자.

오행과 간지에 대한 이해가 있다면, 목 기운인 갑인甲寅과 화 기운인 정사丁巳의 기운이 강하게 자리 잡고 있고, 계해癸亥의 수 기운 역시 만만치 않다는 것을 알 수 있다. 시주엔 금 기운 경금庚이 있고, 그 아래에 화 기운인 오화午가 있다는 것도 볼 수 있다.

하지만, 이렇게 파악한다고 해서 무엇을 할 수 있을까? 경금의 의미를 적고 갑목, 정화, 계수, 오화의 의미를 쭉 나열해 놓는다면, 이 사주의 의미를 이해한 것이 될까?

파편적이고 부분적인 지식을 늘어놓는다고 해서 본질을 포착할 수 있는 것이 아니다. 또한 우리가 갖고 태어난 기운은 앞의 그림처럼 잘게 부분으로 쪼갤 수 있는 것이 아니다. 사주의 기운을 제대로 이해하려면 전체를 통합할 수 있는 기준이 필요하고, 그 기준에 의해서만 종합적이고 일관된 관점의 이해가 가능하다.

사주를 좀 더 정확히 풀이하기 위해 과거에는 기준을 연지로 삼았다. 연지, 즉 태어난 해의 지지가 사주 해석의 총체적인 기준이 되었던 것이다. 앞의 사주를 예로 들면, 해수가 기준이 되고, 이 해수가 사주 해석의 기준점이 되는 것이다.

구체적인 방법은 다음과 같다.

해수는 사화, 오화, 미토의 기운과 만나면 기운이 저하된다. 따라서 해수가 연지인 사람은 사년, 오년, 미년에 기운의 저하를 경험하게 된다. 즉, 해년에 태어난 사람, 띠로 하자면 돼지띠에 해당하는 사람들은 사년, 오년, 미년에 부침을 겪게 되는데,

연도로 하자면 2025년(을사년), 2026년(병오년), 2027년(정미년)에 해당한다.

	시	일	월	연	
천간	庚 경	甲 갑	丁 정	癸 계	
지지	午 오	寅 인	巳 사	亥 해 기준	+ 巳 午 未 사 오 미

이것이 다름 아닌 삼재에 대한 이론적 설명이다. 이처럼 연지라는 기준을 정하고 지지들의 관계에 의미를 부여하면, 아주 쉽게 나름대로의 길흉에 대한 이해를 얻을 수 있다.

이해를 돕기 위해 예를 하나 더 들어 보자.

해수가 인목과 만나면, 갑작스럽게 대중 앞에 드러나게 되는 의미가 있다. 이를 흉측한 말로 '망신살'이라고 한다.

위의 사주에서는 인목이 일지에 놓여 있으니, 일지에 망신살이 놓여 있다고 말할 수 있다. 연지를 기준으로 사주를 판단하면, 이 사주는 망신살을 가진 사주가 되는 것이다.

아직도 연지를 기준으로 삼고, 사주를 판단하는 분들도 있지만, 이 방법은 문제를 안고 있다. 연지라는 기준이 너무 광범위하기 때문이다. 일 년이라는 아주 넓은 범위에 놓인 모든 사람

을 하나의 기준으로 묶고, 그들의 길흉이 똑같이 흘러간다고 생각하는 것은 느슨하고 주술적인 관점이다.

같은 띠가 같은 운명하에 놓인다고 한다면, 우리는 애써 개별 지지에 대해 이해할 필요가 없고, 오행의 상생상극을 탐구할 필요도 없게 된다. 굳이 사주를 공부할 필요가 없게 되며, 삼재 때가 되면 부적을 구입하는 것으로 액막이를 하면 그만이다.

연지에서 '일간'으로

당나라 때부터 계보를 이어 온 연지라는 기준은, 아직도 띠라는 이름으로 우리의 삶에 깊숙이 개입하고 있지만, 다행히 훌륭한 연구자들에 의해 새로운 기준이 만들어졌다.

그 새로운 기준은 바로 10세기 후반(북송)의 명리학자 서자

평徐子平이 창안한 일간이다. 송대 이후, 일간 위주의 사주 관법이 꾸준히 발전하였으며, 현대의 사주명리는 일간을 사주 해석의 기준점으로 잡는다.

일간이라는 기준은 1000여 년의 세월을 거치며 끊임없이 검증되고 발전하였는데, 이렇게 신뢰할 만한 하나의 기준이 자리 잡음으로써 사주명리는 한 단계 큰 도약을 하게 된다.

철학의 단점은 철학적인 사유와 담론들을 현실에 적용하기가 힘들다는 점이다. 철학자들이 제시하는 위대한 사상과 현명한 삶의 지침을 현실 세계를 살아가는 개개인의 구체적인 삶 속에 적용하기는 어렵다. 개개인은 모두 처한 여건과 상황이 다르고 해결해야 할 과제가 각양각색이기 때문이다. 모두에게 인정받는 좋은 말은, 내 구체적 삶에는 적용하기 힘든 법이다.

일간이라는 기준이 생기기 전의 사주명리는 하늘에 붕 뜬 철학에 불과했다. 사주팔자라는 여덟 글자로 상징할 수 있는 기운이 인간의 삶을 좌우한다는 인식은 있었지만, 구체적으로 개인의 삶에 어떤 작용을 불러일으키는지에 대해 알 수 없었기 때문이다.

하지만 일간이라는 기준이 생기고, 그 일간을 기준으로 나머지 일곱 글자와의 관계를 규정하고 나서부터, 사주명리는 비로소 인간 세계로 내려왔다. 일간을 "나"로 규정하면서부터, 사주명리는 단순한 철학이 아니라 소중한 일상의 도구가 되었다. 일간이라는 기준점을 통해 나 자신이 어떤 기운들의 가운데에 처

해 있는지 알게 되었다. 또한 이를 바탕으로 스스로의 현재를 통찰할 수 있게 되었고, 과거를 반성하고 미래를 가늠할 수 있게 되었다.

십신, 사주명리의 모든 것

십신十神은 다른 말로, 십성十星, 육친六親, 육신六神이라 불린다. 관점에 따라 다양한 이름을 쓰고 있지만 의미하는 것은 같으니 용어에 얽매일 필요는 없겠다. 앞으로도 다양한 사주 용어가 등장할 것인데, 용어의 의미보다는 그 원리에 관심을 가지면 더욱 깊은 통찰을 얻을 수 있다.

십신은 사주명리의 꽃이고, 실제로 십신을 제대로 이해하면 사주명리의 거의 모든 것을 섭렵한 것이나 다름없다. 그만큼 중요하고 핵심적인 개념이다.

일간에 대한 이해부터 시작하여, 십신에 대해 천천히 알아가보자.

십신

일간은 태어난 날의 천간을 의미한다. 일간이 사주 해석의 기준이 된다는 것은 다른 말로 하면, 사주의 주인인 한 개별 인간이 바로 일간의 자리에 놓인다는 말이 된다. 즉 내가 일간이며, 나는 일간의 기운을 바탕으로 세상을 살아간다. 혹은 최종적인 삶의 지향이 일간의 기운이 된다고도 볼 수 있다.

일간은 다른 말로 본원本原, 일원日元, 명주命主라고도 불린다. 사주팔자의 중심이 되는 자리라는 의미다.

이 사주를 가지고 태어난 사람의 경우 일간이 갑목이다. 즉 갑목이 곧 그 사람이라고도 볼 수 있고, 갑목의 성향을 아주 많이 가지고 태어났다고도 볼 수 있다. 또한 갑목의 본성을 실현하기 위해 삶을 살아간다고도 볼 수 있다.

앞에서 살펴본 갑목의 기운을 적용해 보면, 이 사주를 가진 사람은 시작하려는 진취적인 힘이 강하고, 인간적이고, 명예를 중시하며, 성장과 탐구에 관심이 많지만 마무리하는 데는 취약하다는 것을 알 수 있다.

일간이 곧 그 사람이라는 명제를 통해, 아주 간단하게 한 사람의 성향과 본질에 대한 통찰과 이해가 가능한 것이다.

일간에 대한 이해가 끝났으면, 일간과 다른 일곱 글자가 어떤 관계를 맺고 있는지 파악해야 한다. 이 관계성이 곧 '십신'이다.

오행과 십신

앞 장에서 오행을 공부했고, 오행은 상생상극의 관계성 안에 놓여 있다는 점을 알아보았다. (44쪽 〈오행의 생극〉 표를 보면서 이후 글들을 읽으면 좀 더 쉽게 이해할 수 있을 것이다.)

생生의 관계를 예로 들면, 목은 화를 생한다. 목木-생生-화火의 과정을 물상적으로 살피면 "나무[木]가 불[火]을 더욱 강렬하게 타오르게 한다"로 볼 수 있고, 계절의 관점에서는 "봄이 여름을 낳는다"고 볼 수 있다. 즉, 목과 화의 관계에서, "목이 화를 도와주며, 더욱 왕성하게 한다", "목이 화에게 끊임없이 에너지를 불어넣는다"고 해석할 수 있다.

이렇듯 생이라는 것은 한 존재가 다른 존재를 도와주고, 보살펴 주고, 성장하게 하는 관계를 의미한다.

목생화의 관계에서 기준이 없다면, 목이 화를 생하는 사주의 구조라는 일차원적인 해석밖에 할 수 없다. 하지만 일간이라는 명확한 기준이 생겼기 때문에 이야기가 달라진다. 하늘에 떠 있던 추상적인 사주명리의 이론이 일간이라는 기준을 등에 업고 드디어 인간의 구체적인 삶 곁으로 내려오게 된 것이다.

어떤 사주에서 목생화의 관계가 형성되어 있을 때 일간이 목이라면, 일간은 화 기운을 부추기는 역할을 한다. 즉, 일간인 목이 제 힘을 쏟아서 화 기운을 키우는 작용을 하는 것이다. 반대로 목생화의 관계가 형성되어 있는 사주에서 일간이 화라면, 일간은 목 기운의 도움을 받게 된다. 즉 목 기운이 일간을 돕기 때문에 일간의 힘이 왕성해지는 것이다. 이렇듯 목생화의 관계이지만 기준을 어디에 두느냐에 따라 완전히 그 관계성이 달라진다. 기준의 위치에 따라 생을 받느냐, 생을 하느냐의 상반되는 관계성이 탄생한다.

이해를 돕기 위해 같은 방식으로 극의 관계도 알아보자.

금은 목을 극한다. 금金-극剋-목木의 과정을 물상적으로 살피면, "도끼[金]가 나무[木]를 베어 쓰러뜨린다"로 볼 수 있고, 계절의 관점에서는 "가을의 찬 기운이 봄의 온기를 앗아 간다"고 볼 수 있다. 즉, 금과 목의 관계에서, "금이 목을 제어하며 억압한다", "금이 목의 힘을 꾸준히 앗아 간다"고 해석할 수 있다.

이렇듯 극이라는 것은 한 존재가 다른 존재를 견제하고, 억압하고, 빼앗는 관계를 의미한다.

어떤 사주에서 금극목의 관계가 형성되어 있을 때 일간이 목이라면, 일간은 금 기운에 의해 견제를 받는다. 즉, 일간인 목이 금 기운으로부터 극을 당해 위축되고 힘을 빼앗기는 것이다. 반대로 금극목의 관계가 형성되어 있는 사주에서 일간이 금이라면, 일간은 목 기운을 극하게 된다. 즉 일간이 목 기운을 극해서 목 기운의 힘을 빼앗아 오는 것이다. 생보다 극은 기준을 어디에 두느냐에 따라 더욱 명확하게 관계성이 변한다. 기준의 위치에 따라 공격을 당하느냐, 하느냐의 숨 막히는 관계성이 탄생한다.

일간을 기준으로 해서 오행의 상생상극의 관계성을 정리하면 다음과 같다.

- 일간이 생하는 관계
- 일간이 극하는 관계
- 일간을 극하는 관계
- 일간을 생하는 관계

만약 일간이 목이라면, 목을 기준으로 상생상극의 관계를 적용하면 다음과 같다.

- 일간과 같은 오행의 관계: 목
- 일간이 생하는 관계: 화, 목생화
- 일간이 극하는 관계: 토, 목극토
- 일간을 극하는 관계: 금, 금극목

- 일간을 생하는 관계: 수, 수생목

이 다섯 개의 관계에는 각각 이름이 있는데, 다음과 같다.

- 일간과 같은 오행의 관계를 '비겁'이라 한다.
- 일간이 생하는 관계를 '식상'이라 한다.
- 일간이 극하는 관계를 '재성'이라 한다.
- 일간을 극하는 관계를 '관성'이라 한다.
- 일간을 생하는 관계를 '인성'이라 한다.

즉, 목 일간의 입장에서 같은 목은 비겁, 화는 식상, 토는 재성, 금은 관성, 수는 인성이 되는 것이다. 이렇게 일간이라는 기준을 설정했을 때, 일간과 다른 간지들의 관계를 십신이라고 부른다.

일간의 오행별로 십신을 정리하면 다음과 같다.

일간이 목일 때

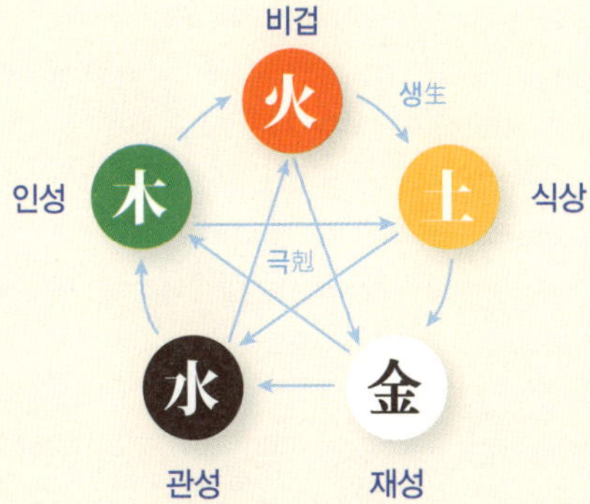

일간이 화일 때

일간이 토일 때

일간이 금일 때

일간이 수일 때

앞의 예로 든 사주의 십신을 정리하면 다음과 같다.

	관성(금극목)	일간	식상(목생화)	인성(수목생)
	시	일	월	연
천간	庚 경	甲 갑	丁 정	癸 계
지지	午 오	寅 인	巳 사	亥 해
	식상(목생화)	비겁(목–목)	식상(목생화)	인성(수목생)

일간을 설정하지 않고 이 사주를 해석하면, 수 기운이 2개, 화 기운이 3개, 목 기운이 2개 그리고 금 기운이 하나인 사주로 해석할 수 있다.

일간을 설정하여 사주를 해석하면, 이 사주는 식상이 3개, 인성이 2개인 사주로 해석할 수 있다. 즉, 식상과 인성의 힘이 강한 사주가 되는 것이다. 기준이 추가되자 사주 해석에 관계성이 설정되었다.

이해를 돕기 위해 다른 사주의 십신을 알아보자.

	인성(금생수)	일간	재성(수극화)	비겁(수–수)
	시	일	월	연
천간	庚 경	癸 계	丁 정	癸 계
지지	申 신	卯 묘	巳 사	亥 해
	인성(금생수)	식상(수생목)	재성(수극화)	비겁(수–수)

같은 달에 태어난 계수 일간의 사주이다. 기운의 분포는 비슷해 보이는데 일간이 달라지면서, 십신이 완전히 달라졌다. 갑목 일간의 사주에서는 화 기운이 식상이었는데, 이 사주에서는 화 기운이 재성이다.

음양오행과 십신

간지는 오행으로만 분화되는 것이 아니다. 음양으로도 분화된다. 위에서는 오행을 통해 십신을 구분했다면, 이제는 음양까지도 활용하여 십신을 구분해 보자.

목을 기준으로 목을 생해 주는 기운을 인성이라고 했다. 목의 입장에서 인성은 수 기운이다. 그런데 오행 목은 음양으로 나눌 수 있고, 수 역시 음양으로 나눌 수 있다. 오행뿐만이 아니라 음양까지 고려해 십신을 적용하면 인성은 두 개로 나뉜다. 목이 갑목과 을목 두 개로 나뉘듯, 십신 역시 둘로 세분화되는 것이다.

갑목이 일간인 사주를 기준으로 인성부터 살펴보면, 일간과 음양이 같은 간지를 인성 중에서 편인이라고 부른다. 갑목(+)을 기준으로 임수(+)와 해수(+)가 편인에 해당한다. 갑목과 음양이 다르다면 인성 중에서 정인이라고 부른다. 갑목(+)을 기준으로 계수(-)와 자수(-)가 정인에 해당한다. 일간을 생해 주는 간지를 통칭하여 인성이라고 부르고, 세분화하여 음양이 같다면 편인, 음양이 다르다면 정인이라고 부르는 것이다.

비겁의 경우도 마찬가지다. 음양이 같다면 비견, 음양이 다르면 겁재라고 부른다. 갑목(+)을 기준으로 갑목(+)과 인목(+)이 비견에 해당한다. 갑목(+)을 기준으로 을목(-)와 묘목(-)이 겁재에 해당한다.

식상은 음양이 같다면 식신, 음양이 다르면 상관이라 부른다. 갑목(+)을 기준으로 병화(+)와 사화(+)가 식신에 해당한다. 갑목(+)을 기준으로 정화(-)와 오화(-)는 상관에 해당한다.

재성은 음양이 같다면 편재, 음양이 다르면 정재라 부른다.

갑목(+)을 기준으로 무토(+), 진토(+), 술토(+)가 편재에 해당한다. 갑목(+)을 기준으로 기토(-), 축토(-), 미토(-)가 정재에 해당한다.

관성은 음양이 같다면 편관, 음양이 다르면 정관이라 부른다. 갑목(+)을 기준으로 경금(+)과 신금申(+)이 편관에 해당한다. 갑목(+)을 기준으로 신금辛(-)과 유금(-)이 정관에 해당한다.

음양으로 구분한 십신을 앞의 예시 사주에 적용하면 다음과 같다.

	편관(+)	일간(+)	상관(-)	정인(-)
	시	일	월	연
천간	庚 경	甲 갑	丁 정	癸 계
지지	午 오	寅 인	巳 사	亥 해
	상관(-)	비견(+)	식신(+)	편인(+)

관성이 편관으로, 식상이 식신과 상관으로, 인성이 정인과 편인으로 나뉘어 훨씬 다양하고 다채로운 관계망으로 구분되었다.

열 개의 천간에 따른 십신을 정리하면 다음과 같다.

일간이 갑일 때 십신

일간이 을일 때 십신

일간이 병일 때 십신

일간이 정일 때 십신

일간이 무일 때 십신

일간이 기일 때 십신

일간이 경일 때 십신

일간이 신일 때 십신

일간이 임일 때 십신

일간이 계일 때 십신

사주를 해석하는 3가지 방법

본격적으로 십신의 의미를 설명하기 전에 사주 해석 방법을 구체적으로 알아보자.

먼저, 오행과 간지만을 가지고 사주를 해석할 수 있다. 화 기운이 많은 사주, 목 기운이 많은 사주, 갑목의 기운이 왕성한 사주라는 방식으로 해석하는 것이다. 이 방법으로 아래의 사주를 해석하면, 천간에 금 기운이 많은 사주, 지지에 토 기운이 많은 사주, 신금의 기운이 강한 사주, 진토의 힘이 센 사주로 해석할 수 있다.

	시	일	월	연
천간	甲 갑	壬 임	辛 신	辛 신
지지	辰 진	辰 진	丑 축	酉 유

둘째, 오행과 간지의 관계성을 통해 사주를 해석할 수 있다. 목→화→토→금→수라는 오행의 상생과 목∝토∝수∝화∝금이라는 오행의 상극을 이용해 해석하는 것이다. 이 방법으로 위 예시의 사주를 해석하면, 지지에서는 왼편에서 오른편으로

생의 흐름이 이어지고, 천간에서는 오른편에서부터 왼편으로 생의 흐름이 이어지는 사주이다. 또한 시주의 갑목이 진토를 극하고 있는 형국도 드러난다. 전체적으로 상생의 흐름이 좋은 사주로 해석할 수 있다.

세 번째 해석 방법은, 일간이라는 기준을 설정하고, 여기에 음양오행의 상생상극의 관계를 적용해 해석하는 것이다. 십신을 이용한 방식이다.

이 방법으로 예시의 사주를 해석하면, 관성의 기운이 일간의 아래편을 장악하고 있고, 인성의 기운이 일간의 오른편에서 일간을 돕고 있다. 또한 식신의 기운이 일간의 바로 옆에 자리하고 있다. 편관의 힘과 정인의 힘이 강한 사주이며, 특히 인성의 경우 편인과 정인이 섞이지 않고 정인으로만 구성되어 있기 때문에 정인의 힘이 돋보이는 사주로 해석할 수 있다.

이처럼 단계를 거듭할수록 사주 해석이 다채로워진다는 것

	식신(수생목)	일간	정인(금생수)	정인(금생수)
	시	일	월	연
천간	甲 갑	壬 임	辛 신	辛 신
지지	辰 진	辰 진	丑 축	酉 유
	편관(토극수)	편관(토극수)	정관(토극수)	정인(금생수)

을 확인할 수 있다. 특히 세 번째 단계에 이르러서는 편관이라는 힘과 정인이라는 힘이 이 사주의 핵심이 된다는 것을 확인할 수 있다.

일간을 중심으로 생각해 보면, 이 사주의 일간인 임수는 편관이라는 힘과 정인이라는 힘의 강한 영향을 받고 있다. 일간이 곧 "나"이니, 이 사주의 주인은 세상을 살아감에 있어 편관과 정인의 영향을 많이 받는다는 것을 쉽게 알 수 있다.

편관과 정인의 힘, 즉 십신의 의미를 이해할 수 있게 되면 한 사람을 구성하는 기운의 정체를 밝혀낼 수 있다. 십신을 통해 비로소 개인의 정체성을 이해할 수 있게 되는 것이다.

비겁
(비견+겁재)

이제 본격적으로 십신에 대해 알아보자. 먼저 비겁이다. 비겁은 일간과 같은 종류의 오행을 말한다. 즉 일간이 목이라면 사주에 있는 다른 목의 기운을 비겁이라고 한다.

비겁比劫은 비견比肩과 겁재劫財의 줄임말이다. 비겁은 음양에 따라 둘로 나눌 수 있다. 기준이 되는 일간과 음양이 같다면

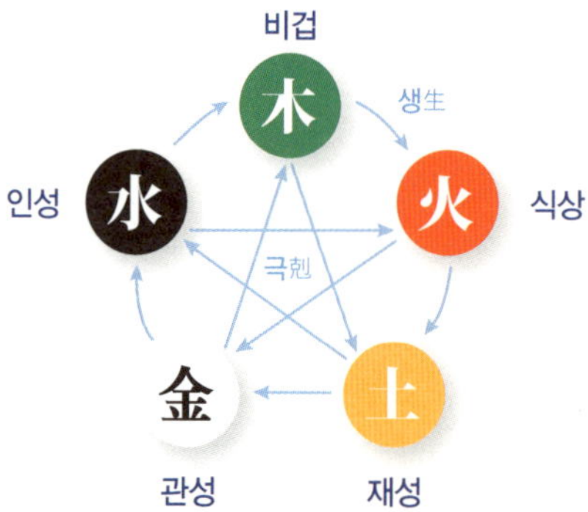

일간이 목일 때 십신 관계도

비견이라고 하고, 음양이 다르다면 겁재라고 부른다.

오행의 관계만 가지고 따질 때는 비겁이라고 통칭하며, 음양의 관계까지 고려하면 비견과 겁재를 구분한다.

주변의 경쟁자들

비겁은 일간(나)과 같은 오행을 의미한다. 따라서 인간관계에서 비겁은 "친구, 동업자, 라이벌, 형제자매, 선후배, 동료"를 의미한다. 기본적으로 사주에 비겁이 강하다면, 나와 같은 조건의 사람들(아군과 적군 모두를 포함)이 여러 명 내 주변에 포진해 있는 것이라 생각할 수 있다. 기본적으로 형제자매, 동료, 경쟁자와의 관계에 많이 얽힌 삶을 암시한다.

내 것을 지키려는 투쟁성

나와 같은 조건의 사람들이 여러 명 포진해 있는데 먹을 음식의 양이 한정돼 있다면 어떨까? 비겁이 강한 사람들은 음식을 빼앗기지 않기 위해 경쟁적이고 투쟁적으로 음식을 먹을 수밖에 없다. 그래야 음식을 빼앗기지 않기 때문이다. 경쟁자가 많아서 투쟁성이 강화되는 것이다. 하지만 너무 악착같이 차지하려 드니 주변 사람들이 거북해한다. 이 때문에 비겁이 강한 사람들은 인덕이 없다. 비겁의 악착같은 마음, 돌파력, 독립적인 자세는 모두 이 투쟁성에서 비롯된다.

한편 비겁이 강한 사람들은 '동료와 경쟁자'가 항상 포진해 있기 때문에 협력에도 능하다. 어떻게 해서든 동료들과 협력하고 으싸으싸 힘을 모으려는 것이다. 특히 집단이 위험에 처했을 때, 동료들과 협력하고 뛰어난 적응력을 발휘해 위기를 헤쳐 나간다.

비견과 겁재를 나누어 비견은 협력, 겁재는 경쟁에 특화되어 있다고 보기도 한다. 실제로 겁재가 강하다면, 악착같은 경쟁심이 더욱 강하게 드러난다.

자신만 사는 성

사주에 비겁이 강하다는 것은, 나의 영역이 강하다는 의미다. 즉, 주체성과 자기애가 강하고, 자기만의 정신세계에서 벗어나지 않으려는 성향이 강하다. 익숙한 패턴과 생활 습관을 고집하고, 나의 내면을 소중히 여기는 태도 또한 비겁의 특성이다.

또한 비겁이 강한 사람들은 자신만의 영역을 더욱 넓히려는 경향이 강하다. 사업을 확장하려 하고, 여행을 통해 경험의 폭을 넓히려는 사람이 많다. 끊임없이 세계를 유랑하는 사람 중에 비견이 강한 사람이 많다. 직접 경험하여 자신의 영역을 넓히고자 하는 마음 때문이다.

하지만, 아무리 넓히고 넓혀도 비겁이 넓혀 놓은 세상은 결국 자신만이 살고 있는 땅이다. 자신의 욕망으로 만들어진 성이라서 쉽게 다른 사람이 들어오질 못한다. 비겁이 강하다면, 넓지만 남을 허락하지 않는 외로운 세상에 갇혀 있는 건 아닌지 돌아볼 여유가 필요하다.

공주병, 왕자병

비겁이 강한 사람들은 자아가 강하고, 남들에게 관심받길 원한다. 그래서 관심과 칭찬에 민감한 비겁을 왕자병, 공주병과 연결 짓기도 한다. 독특한 스타일로 남의 이목을 끌며, SNS(인스타그램, 페이스북 등)에도 관심이 많은 것이 비겁의 특징이다.

비겁이 강하다는 것은 자신만의 세계와 기준이 있다는 말이다. 이는 곧 취향의 호불호가 명확하다는 것을 암시한다. 취향이 명확하기 때문에 비겁은 특유의 미적 감각을 가지고 있는 경우가 많다. 어렸을 때부터 자신의 절대 기준을 바탕으로 주변 대상들과 비교하면서 단련한 특유의 능력이다.

오만과 독선은 문제

비겁이 강한 사람들은 독립적이고 투쟁적이다. 반대로 이야기하면, 오만과 독선에 빠져 있는 경우가 많다. 이는 자기의 영역을 지키려는 욕망 때문이다. 또한 비겁 특유의 자존심이 발동하면, 손해인지 알면서도 남의 말을 무시하고, 고집을 부린다.

그렇기에 흔히 비겁은 규율이 강한 조직에서는 견디질 못한다. 누군가(특히 상사)의 지배와 간섭을 극도로 싫어하기 때문이다. 비겁이 강한 사람들은 불로 달군 쇠꼬챙이로 을러도 "지가 하기 싫은 일"은 안 한다.

이런 특성이 가장 큰 단점으로 작용할 때가 바로 '원한'을 품는 경우이다. 비겁이 강한 사람은 자신의 영역과 세계가 무시당했다고 생각하면 원한을 품고 이 감정을 오랫동안 잊지 않고 간직한다. 이러한 독한 감정은 목표를 향한 원동력이 되기도 하지만, 자신을 갉아먹는 좀이 되기 때문에 스스로 털어 버리려는 노력이 필요하다.

비겁이 강한 사람들은 특유의 강직함과 친밀한 대인 관계로 인해 사람들을 끌어모은다. 그래서 늘 주변에 사람들이 끊이질 않는다. 하지만 다른 사람을 바라보는 본인의 기준이 높기 때문에 비겁 주변에 모였던 사람들은 얼마 버티지 못하고 금방 흩어져 버리고 만다. 본인들은 열심히 구애했지만, 받아 주지 않았다고 느껴서이다.

약한 재물, 배우자운

비겁은 재성을 극한다.• 극한다는 것은 비겁이 강하면, 재성을 뜻하는 재물·일·결과·부인(남성 기준)·아버지가 안정성을 잃고 흔들린다는 의미다. 따라서 비겁이 강한 사람은 재물과는 인연이 먼 편이다. 너무 강한 비겁이 재물을 극해서 없애 버리기 때문이다.

다른 식으로 이해하면, 재물 활동은 기본적으로 융통성을 발휘해야 한다. 빠른 판단과 유연성으로 상황 대처 능력이 출중해야 부자가 될 수 있는 것이다. 하지만 비겁이 강한 사람은 자존

• '비겁이 재성을 극한다'는 것은, 44쪽 〈오행의 생극〉 표를 보면 쉽게 이해할 수 있다. 예를 들어 일간이 목일 경우, 재성은 일간이 극하는 관계니, 토 기운에 해당한다. 비겁은 일간과 같은 오행이니 목이다. 이제 목과 토 기운의 관계를 보자. 극하는 관계다. 즉, 비겁이 재성을 극한다.

심이 세고 자기 주관이 강해, 재물 활동에도 고집을 피우기 때문에 기본적으로 안정적인 재물의 형성과는 어울리지 않는다.

그런데 꼭 또 그렇지만도 않은 것이, 오히려 비겁이 강한 사람은 강한 재물의 운이 오면, 큰 부자가 될 인자를 가지고 있다. 그 억센 고집과 투쟁심으로 고난과 세파를 이겨 내서 큰 부를 얻는 것이다.

비겁이 강한 사람이 재물 활동에서 유념해야 할 부분은 동료나 친구와의 관계이다. 비겁 자체가 주변에 많은 사람을 의미하기 때문에 금전적인 문제(보증, 투자, 채무 등)로 동료나 동업자와, 마찰과 불화를 겪을 수 있다.

비겁이 강한 사람들은 기본적으로 배우자운이 좋지 않다고 보는데, 본인의 주체성이 너무 강하기 때문이다. 배우자를 인정하지 않고, 자기 고집만 내세워서다. 따라서 물리, 정서적으로 독립적인 환경이 부부 관계에 도움이 될 수 있다.

자영업자, 운동선수

비겁은 경쟁 상황에서 주체적으로 극복하는 힘이 강하기 때문에 모든 직업 분야에서 두각을 드러낼 수 있다. 특정하자면 스스로 결정하고 책임져야 하는 자영업·사업 분야와 어울리는 힘이고, 자신의 끼와 신체로 성과를 이뤄 내는 의미가 강한 예체능·운동 분야와도 어울리는 힘이다.

비겁이 많은 사주

	시주	일주	월주	연주
	겁재	일간	겁재	비견
천간	丙	丁	丙	丁
	병	정	병	정
지지	午	酉	午	巳
	오	유	오	사
	비견	편재	비견	겁재

정화 일간의 사주로, 일지를 제외하고 사주 전체가 비견과 겁재의 기운으로 가득 찬 사주이다. 이런 유형을 두고 "화 비겁의 기운이 왕성한 사주"라 표현한다.

비견

기본적으로 비견과 겁재는 비겁의 성향을 공통으로 공유하고 있다. 그럼에도 비견과 겁재의 차이점에 주목하여 비견과 겁재를 정리하면 다음과 같다.

일간과 오행이 같고 음양이 같은 기운을 비견이라 한다. 즉 일간이 갑목이라면, 사주에 있는 다른 갑목과 인목을 비견이라고 한다.

비견은 견줄 비比에 어깨 견肩으로, 어깨를 견준다는 의미다. 일간과 음양과 오행이 같은 기운이기 때문에 "방향성이나 운동성을 같이하는 것", "똑같은 색깔", "나의 분신"을 의미한다.

확고한 주체성

나와 음양이 같은 똑같은 오행이 하나 더 있다는 것은 "자기 자신"이 탄탄하다는 의미다. 비견은 감정적이며, 주체성과 독립심이 강하다. 자존심, 의지와 고집의 힘이다. 일간이 양간(갑, 병, 무, 경, 임)일 경우 이러한 성향이 강하게 겉으로 드러나지만, 음간(을, 정, 기, 신, 계)일 경우 내면에 잠재되어 집요하게 발현된다.

동성의 동료, 형제자매

비견은 인간관계에서 나와 어깨를 견주는 사이를 의미한다. 즉 항렬이 같은 형제자매(특히 동성), 친구, 쌍둥이 형제자매, 동료, 선후배 등이다. 비견은 음양이 같은 기운이니 주로 같은 성별을 가리킨다. 과거에는 십신의 의미를 그대로 친족 관계에 대입했지만, 실제로 친족 관계와 십신은 큰 의미를 갖지 않는다. 비견의 경우 나와 결이 같은 동료와 인연이 많은 것으로 이해하면 되겠다.

강한 소비 습관

비견은 재성을 극한다. 극한다는 것은 파헤쳐서 소모한다는 의미인데, 결국 비견이 강하다는 것은 재물 활동, 재물의 창고를 약화시키는 힘이 강하다는 뜻이다. 그렇기 때문에 비견이 강한 사람들은 소비 성향이 강하다. 재물이 없을 때는 없는 현실에 맞게 아껴 쓰지만, 재물이 많아지면 재물을 모으기보다는 과도하게 지출하는 편이다.

사자 같은 자신감

비견은 확고한 주체성의 기반이 되는 힘이기 때문에 감정 표현이 즉각적이다. 기분과 감정을 숨기지 않고 바로 드러내며, 모욕을 당했을 때 바로 강하게 반발한다. 만천하에 강한 자신감을 뽐내는 사자의 형상에 비유할 수 있다.

낙관주의자

비겁은 주체성이 확고해서 현재의 성취에 집중하는 힘이 강하다고 본다. 따라서 현재의 순간을 즐기는 힘으로 규정할 수 있다. 비견의 경우, 음양이 같은 기운이라서 현재의 긍정성을 바탕으로 미래를 지향하는 힘이 강하다. 현재의 즐거움이 계속 되리라는 희망과 낙관이 비견을 이끌어 가는 힘이 되는 것이다. 미래를 지향하며 현재를 즐기는 자세는 비견의 긍정성이 최대로 발현된 모습이다.

	시주	일주	월주	연주
	편재	일간	비견	편인
천간	壬	戊	戊	丙
	임	무	무	병
지지	子	戌	戌	辰
	자	술	술	진
	정재	비견	비견	비견

비견이 많은 사주

위 예시는 무토 일간의 사주로, 월주가 비견으로 통일되어 있으며, 일지와 연지에도 비견이 놓여 있어, 비견의 기운이 돋보이는 사주이다. 이런 유형을 두고 "토 비견의 기운이 왕성한 사주"라 표현한다.

겁재

일간과 오행이 같고 음양이 다른 기운을 겁재라 한다. 즉 일간이 을목이라면, 사주에 있는 갑목과 인목을 겁재라 한다.

겁재는 재물 재財에 빼앗을 겁劫으로, 재물을 빼앗아 간다는 의미다. 나와 음양이 다른 기운이 내 안정성을 해친다는 뜻인데, 그만큼 "경쟁과 투쟁의 힘", "과단성"이 돋보이는 기운이다.

강한 명예욕

나와 음양이 다른 똑같은 오행이 하나 더 있다는 것은 정체가 다른 "또 다른 나"를 가지고 있다는 의미다.

겁재는 비견에 비해 이성적이고, 경쟁심과 명예욕이 강하게 드러난다. 내면에 잠재된 오기와 투쟁의 힘이다.

비견과 마찬가지로 일간이 양간(갑, 병, 무, 경, 임)일 경우 겁재 특유의 경쟁심이 겉으로 강하게 드러나지만, 음간(을, 정, 기, 신, 계)일 경우에는 내면에 잠재되어 집요하게 발현된다.

경쟁심은 나의 힘

겁재는 인간관계에서 나와 결이 다른 경쟁자를 의미한다. 항렬이 같은 형제자매(특히 이성), 남매, 친구, 쌍둥이 형제자매, 동료, 선후배 등이다. 겁재는 음양이 다른 기운이니 주로 다른 성별을 가리킨다.

비겁에 비해 겁재는 동료를 경쟁자로 인식하는 경향이 있고, 이 경쟁의식이 겁재를 이끌어 가는 힘이다. 겁재를 배신의 기운으로도 보는데, 경쟁의 환경에서는 영원한 내 편은 존재하지 않는 법이다. 남에 의해 수시로 배신을 당하고, 자신 역시 언제든 배신을 할 수 있는 것이 겁재이다.

재물을 지키려는 안간힘

겁재 또한 재성을 극한다. 비견이 주체적으로 재물을 다스리는 힘이라면, 겁재는 빼앗김의 힘을 의미한다. 겁재가 강하다면 내 몫을 호시탐탐 노리는 상대방이 존재한다는 의미다. 형제자매나 경쟁자가 내 성취를 앗아 가는 상황이 많아서 재물을 향한 극도의 경쟁심과 투쟁심이 겁재의 본질이다. 언제든 빼앗길 수 있다는 불안감은 겁재의 경쟁력을 높이기에 경쟁 상황에서 겁재는 요긴한 힘이 된다.

때를 기다리는 표범

자존심이 아주 강하지만, 겉으로 드러내지 않고 폭발할 때를 기다리는 것이 겁재이다. 따라서 비견과 다르게 겁재는 감정을 숨기는 것이 특징이다. 특히 모욕을 당했을 때는 더더욱 감정을 숨기고 미래를 도모한다. 모욕을 당한 겁재는 마음속에서 복수의 칼날을 갈게 되는데, 받은 것을 언젠가 되돌려주겠다는 앙갚음을 키우며 때를 기다린다. 은밀하게 기회를 노리는 표범에 비유할 수 있다.

반성이라는 동력

겁재 또한 현재의 성취에 집중하는 힘이 강하다고 본다. 하지만 비견과 다르게 현재를 즐기는 힘이 아니라 현재를 쟁취하는 힘이 겁재이다. 투쟁적으로 현재를 거머쥐고 있는 것이다. 겁재의 경우, 일간과 음양이 다른 기운이기에 과거의 경험을 바탕으로 현재를 성취하는 힘이 강하다. 즉 과거의 잘못을 되풀이하지 않겠다는 반성과 뉘우침의 힘이 겁재를 이끌어 가는 힘이 되는 것이다. 과거를 복기하며 현재의 성취를 유지하는 자세는 겁재의 긍정성이 최대로 발현된 모습이다.

아래 예시는 계수 일간의 사주로, 일지와 월지에 겁재의 기운이 놓여 있고, 시간에도 있다. 일간의 주변에 겁재가 놓여 있어 겁재의 영향력이 강한 사주로 볼 수 있다. 이런 유형을 두고 "수 겁재의 기운이 왕성한 사주"라 표현한다.

	시주	일주	월주	연주
	겁재	일간	식신	상관
천간	壬	癸	乙	甲
	임	계	을	갑
지지	戌	亥	亥	子
	술	해	해	자
	정관	겁재	겁재	비견

겁재가 많은 사주

식상
(식신+상관)

식상은 일간이 생하는 오행을 말한다. 예를 들어 일간이 목이면 사주에 있는 화의 기운을 식상이라고 한다.

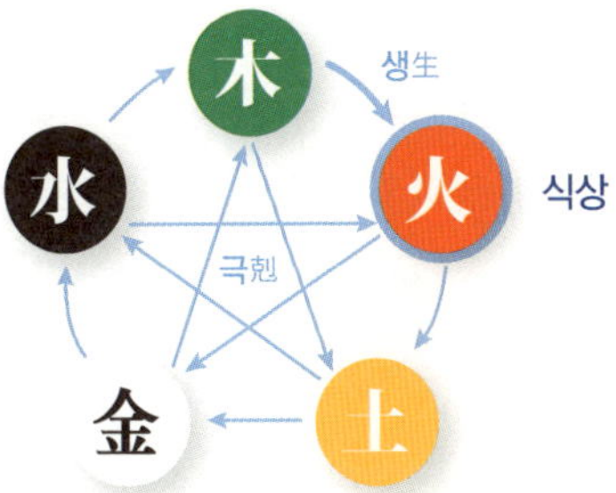

식상의 관계도. 일간이 목일 때는 화가 식상이다.

- 일간이 목일 때 화가 식상에 해당한다.
- 일간이 화일 때 토가 식상에 해당한다.
- 일간이 토일 때 금이 식상에 해당한다.
- 일간이 금일 때 수가 식상에 해당한다.
- 일간이 수일 때 목이 식상에 해당한다.

식상은 식신食神과 상관傷官의 줄임말이다. 식상은 음양에 따라 둘로 나눌 수 있다. 기준이 되는 일간과 음양이 같다면 식신이라고 하고, 음양이 다르다면 상관이라 부른다.

오행의 관계만 가지고 따질 때는 식상이라고 통칭하며, 음양의 관계까지 고려하면 식신과 상관을 구분한다.

손아랫사람

식상은 일간이 생生하는 오행이다. 일간 즉, 내가 생하는 오행, 나로부터 생성되는 오행이 식상이다. 따라서 식상은 나로부터 시작되는 활동력으로 볼 수 있다. 여기서 의미를 확장하면, 나의 영향권 아래 있는 손아랫사람과 부하 직원이 식상의 영역이다.

특히 여성의 경우 일간이 오행을 생하는 것처럼 임신과 출산을 통해 생명을 탄생시키기에 식상이 자녀에 해당한다고 널리 알려져 있다. 하지만 식상을 그대로 자녀와 직접 연관시키는 것은 무리가 있다. 여성의 사주에 식상이 많다고 해서 자녀와 인연이 많다고 보는 것은 일차원적인 해석이다. 여성의 사주에 식상이 하나면 자식이 하나고, 둘이면 자식이 둘이라는 해석은 더더욱 경계해야 한다.

아이를 낳고 양육하는 데 절대적으로 필요한 것은 부모의 헌신과 희생이다. 헌신과 희생은 식상과 거리가 아주 먼 기운이다. 헌신과 희생은 뒤에서 다룰 인성의 영역이어서, 오히려 자녀와 깊이 관련된 십신은 인성으로 봐야 한다.

구체적으로 보면, 식상은 건강한 활동력이자 자기만족을 위한 일차원적인 욕망으로 볼 수 있는데, 아이를 낳고 기르는 과정에서 오히려 부모의 활동력이 현저히 제한된다. 또 자신들의 욕망을 쉴 새 없이 억눌러야 한다. 자녀로 인해 결과적으로 부모의 식상이 제한되는 것이다.

이처럼 부모는 아이를 키우기 위해 헌신하고 자신의 활동력과 욕망도 제한해야 한다는 점을 고려할 때 식상을 자녀와 연관시키는 것은 다시 생각해 봐야 한다.

한발 더 나아가려는 힘

비겁은 자신만의 영역이다. "집 안, 우물 안, 내 영역"이라고 표현할 수 있다. 식상은 비겁에서 한 발짝 더 나아간 자리를 의미한다. 이제 자신의 껍질을 깨고, 힘차게 활동하는 단계가 바로 식상이다. 식상의 창의적 활동성은 생산하고, 창작하고, 궁리하고, 기르는 행위를 뜻한다.

현 단계에서 확장하여 새롭게 나아가기 위한 행위가 식상이다. 새로움을 빚어내는 힘이다. 글을 쓰고, 말을 하고, 공예품을 만들고, 가르치고, 동식물을 기르고, 여행을 가고, 이사를 하는 등의 활동이 모두 식상의 영역이다.

세상을 알아 가기 시작한 대학생이 동아리에 가입해 자신의 끼를 마음껏 뽐내는 단계이다. 작은 마을 단위에서 자기 안의 욕망을 표현하고, 끼를 뽐내는 행위, 새롭게 뭔가를 해 보려는 의욕이 모두 식상의 에너지이다.

탁월한 말주변

식상은 특히 언어 능력과 관련이 깊다. 식상은 곧 말과 글이다. 식상이 강한 사람들은 말주변이 좋고, 조곤조곤 말을 많이 해야 직성이 풀린다. 이 때문에 막 발을 들여놓은 공동체에서도 자신의 욕구를 잘 전달하는 편이다. 삼삼오오 카페에 둘러앉아 도란도란 이야기하는 장면에서 식상의 기운을 느낄 수 있다.

평범한 사건을 재미있게 포장하여 자분자분 말하는 것이 바로 식상의 말하기 방식이다. 식상이 강하면 행동보다 말이 앞서고, 지나치게 포장을 하거나 자기주장을 하는 등의 부작용을 겪을 수 있다. 아무래도 말하는 것을 좋아하다 보니 논쟁이나 말다툼에서 지는 것을 싫어한다. 말로는 어떻게 해서든 이기려 드는 것이다. 이러한 성향 탓에 식상이 강하면 구설수에 오를 수 있고, 말 때문에 명예가 훼손될 수도 있다.

선호하는 소규모 공동체

식상 하면, 소규모 공동체를 떠올려야 한다. 재성이 아주 넓은 사회적 대인 관계를 의미한다면, 식상은 그 이전의 좁은 범위의 친목 모임을 의미한다. 식상은 바로 소규모 공동체에서 발휘하는 역량을 의미한다. 규율이 느슨하고 감정적인 교류가 깊어 서로 눈빛만 봐도 아는 사이, 밤새 떠들며 대화해도 늘 즐거운 사이가 식상이 지향하는 인간관계이다. 이런 소규모 공동체에서 먹고, 마시고, 대화하고, 연대감을 이루는 것이 식상이 강한 사람들의 로망이다. 활발한 소통을 전제로 한 낙천적이고 낭

만적인 힘, 도전과 창업의 힘, 스타트업의 정신이 식상의 이상이다.

리더보다는 참모

식상은 어른의 힘이 아니다. 세상에 관심은 많지만 아직은 무르익지 않은 청년의 힘이다. 창의성과 활동성은 넘치지만 미숙함 탓에 결과를 창출해 내고 재물을 끌어모으기에는 부족한 힘이다. 식상은 시작의 힘으로도 볼 수 있는데, 시작 단계에서는 의욕이 넘쳐 동분서주하며 일을 벌이지만, 성과와 결실을 맺어야 할 타이밍에 냉정하지 못하는 단점이 있다. 회사의 규모로 성장하지 못하고 무너지는 무수한 스타트업의 사례를 상상해 볼 수 있다.

"현실에 기반한 다양한 발상과 에너지", "미숙하지만 가치 있는 기획", "변칙적인 시도", "시행착오를 즐기는 태도"가 식상이 강한 사람들이 갖는 장점이다. 반면, "규율을 거부함", "반조직적 태도", "일탈", "결정적인 순간에 무너짐"은 식상이 강한 사람들이 가지는 약점이다. 너무 큰 통제와 억압, 책임감 부여, 이해관계의 대립이 발생하면 중도에 포기하고 만다. 배포와 결기가 부족해서다. 그래서 식상은 집단의 리더보다는 기획자나 참모에 유리한 힘이다.

식복과 식욕

식상은 활동성, 생산성을 의미하기에 의식주 걱정이 없는 힘으로 볼 수 있다. 애써 노력하지 않아도 의식주가 보장되고 특히 "식복"을 타고났다는 것이다. 이 연장선에서 식상은 "식욕"을 의미하기도 한다. 식상이 강한 사람들은 먹는 것을 좋아하고, 먹을 복도 있으며, 잘 먹는다. 직업에서는 요식업과 인연이 많다.

안정을 깨는 힘

식상은 관성을 극한다. 식상이 강하면, 관성이 그만큼 약화되기 때문에 관성을 의미하는 "관료적인 조직 생활, 자기 통제력, 안정된 생활, 학업운, 결혼 생활"이 안정성을 잃고 흔들린다.

식상은 틀을 깨고 새로움을 향해 나아가는 힘이다. 따라서 식상이 강하다면 틀을 의미하는 모든 활동에 제약이 가해진다고 본다. 직업적으로는 체계가 완고한 관료적인 조직(공직과 대기업 등)에서의 활동이 제한된다. 따라서 식상을 활용하려면 창의적이고 자유로운 활동이 보장된 부서에서의 활동이 도움이 될 수 있다.

관성은 시간과 공간에서의 자기 통제력을 의미한다. 식상이 강하면, 통제력이 상실되어 생활 패턴이 흐트러지게 되고, 건강과 안정적인 생활에 문제를 가져올 수 있다.

정규 교육 과정, 특히 대학과 대학원에서의 성취를 관성으로 볼 수 있는데, 식상이 의미하는 강한 창의성은 정규 교육 과정과는 어울리지 않는다. 학위 이수를 위해 치러야 하는 엄격한 형식적인 절차는 식상이 가장 꺼리는 것이다. 진정한 창의성의 힘은 학교 울타리 밖에서 자라나는 것이다.

식상은 제도적으로 보장된 안정을 깨는 힘이다. 안정을 깨는 것은 두려운 일이지만 창의적 활동성을 확보하기 위해서 치러야 하는 대가이다. 결혼은 사회의 안정성을 확보하기 위해 공고하게 자리 잡은 제도이다. 따라서 식상이 강하면, 결혼의 안정성이 흔들린다. 결혼이라는 제도가 가져오는 숱한 부조리와 억압을 거부하는 힘이 식상이기 때문이다.

식상이 결혼 생활을 흔드는 것은 여성에게 더 큰 의미가 있는데, 결혼 제도가 특히 여성에게 부조리한 희생을 강요하기 때문이다. 따라서 식상이 강하다면 부조리한 환경 자체를 만들지 않는 평등한 부부 관계를 형성하는 것이 중요하다. 억압적이고 부조리하지 않다면 오히려 식상은 즐거운 결혼 생활의 원천이 된다.

크리에이터, 변호사

식상은 창조와 활동성의 기운이라서 창조, 기술적인 영역에서 두각을 드러낼 수 있다. 특히 자신의 재능과 언변을 마음껏 발휘할 수 있는 직업군에 어울리는데 작가, 강사, 변호사, 크리에이터, 제조업 영업자, 프리랜서, 일반 자영업에 최적화된 힘이다

식상이 많은 사주

아래 예시는 을목 일간의 사주로, 지지가 모두 식상의 기운으로 구성되어 있다. 식상이 강한 사주다. 이런 유형을 두고 "화 식상의 기운이 왕성한 사주"라 표현한다.

	시주	일주	월주	연주
	편관	일간	정인	정관
천간	辛 신	乙 을	壬 임	庚 경
지지	巳 사	巳 사	午 오	午 오
	상관	상관	식신	식신

식신

기본적으로 식신과 상관은 식상의 성향을 공통으로 공유하고 있다. 하지만 비겁에 비하면, 식신과 상관은 그 차이가 명확한 편이다.

일간과 음양이 같고 일간이 생하는 기운을 식신이라 한다. 즉 일간이 병화라면, 사주에 있는 무토와 술토, 진토를 식신이라 한다.

식신은 먹을 식食에 정신 신神으로, 먹을 것에 대한 힘을 의미한다. 일간과 같은 음양으로 일간의 활동성이 확장된 힘이기에 편안하고 안정적인 활동성의 힘이다.

탐구와 궁리의 힘

식신은 탐구와 궁리의 힘이다. 연구자·과학자·기획자의 힘을 의미하며, 하나의 주제를 가지고 끊임없이 궁리하고 연구하여 결국은 실현해 내는 힘을 뜻한다. 식신이 아름다운 지점은 결과물을 만들어 낸다는 것에 있다. 상상력을 현실에서 실현해 내는 힘, 정신세계에 존재하는 것을 현실 세계에서 구현해 내는 힘이 식신이다. 무에서 유를 창조하는 것이다.

편안하고 안정적인 생활

음양이 같은 기운이 일간과 상생의 흐름으로 이어져 있기에 식신은 편안한 식도락의 힘을 의미한다. 식신의 이름에 걸맞게 먹을 복의 힘이자 안정적인 생활을 가능하게 하는 힘이기도 하다.

식신은 감정적 솔직함과 소탈한 생활의 기운이다. 꾸밈 없이 감정을 드러내고, 소탈하게 입고 생활한다. 식신이 강한 사람들은 담백하고, 여유로우며, 편한 사람들과 악의 없이 수다를 나눌 때 큰 행복을 느낀다. 이런 여유와 평안함이 마음의 토대라서 부당한 억압이나 대우에도 끄떡하지 않는 것이 식신의 장점이다.

글쓰기의 힘

식신은 글쓰기에 최적화된 힘이다. 꾸밈이 없고, 소탈하며, 상상을 현실로 풀어내는 능력인 식신과 가장 어울리는 것이 글을 쓰는 일이다. 상관에 비해 식신은 말하기 능력이 현저히 떨어진다. 익숙한 환경에서 친근한 대상에게 말을 해야 말문이 트이기 때문이다. 하지만 글을 쓰게 되면 식신을 따라갈 기운이 없다. 식신의 궁리와 연구는 글을 통해서 빛을 발한다.

독보적인 창의성

식신은 먹을 복과 마음의 여유를 상징해서 게으름과도 연결된다. 하지만 게으른 와중에도 빛나는 능력이 있으니 바로 창의성이다. 식신은 독창적이고 창의적인 힘을 가지고 있는데, 이 독창성은 자신을 긍정하는 여유와 자신감에서 비롯된다. 마음이 편안하니 안정적으로 자신만의 고유한 정신세계를 구축해낼 수 있는 것이다.

아래 예시는 병화 일간의 사주로, 일간의 주변인 월간, 시간, 일지에 식신의 기운이 놓여 있고, 시지에도 식신이 놓여 있다. 일간은 식신에 둘러싸여 강한 영향을 받는다. 이런 유형을 두고 "토 식신의 기운이 왕성한 사주"라 표현한다.

	시주	일주	월주	연주
	식신	일간	식신	편관
천간	戊 무	丙 병	戊 무	壬 임
지지	戌 술	辰 진	申 신	申 신
	식신	식신	편재	편재

식신이 많은 사주

상관

일간과 음양이 다르고 일간이 생하는 기운을 상관이라고 한다. 즉 일간이 병화라면, 사주에 있는 기토와 축토, 미토가 상관이다.

상관은 상할 상傷에 관직 관官으로, 안정된 질서를 깨고 변화를 추구하는 힘을 뜻한다. 일간과 다른 음양으로 일간의 활동성이 확장된 것이기에 예리하고 변화무쌍한 활동의 힘이다.

변화와 응용의 힘

식신은 일간과 음양이 같기에 머릿속의 상상을 무리 없이 실현하는 의미를 가지고 있다면, 상관은 음양이 다르기에 변화와 적응의 힘을 가지고 있다. 식신은 상상력을 실현하는 의미가 강한 반면, 상관은 이미 존재하는 대상을 응용하는 힘이 강하다. 응용과 변화, 재활용, 업사이클링의 힘이다. 기존의 데이터를 이용해 새로운 사업 수완을 발휘하거나, 다른 사람과 능동적으로 연합해 가치를 폭발시키는 힘이 상관이다. 유에서 더욱 가치 있는 새로운 유를 창조하는 힘이다.

홍보와 영업에 최적화

음양이 다른 기운이 일간과 상생의 흐름으로 이어져 있으므로 상관은 날카롭고 변화무쌍한 힘을 의미한다. 관성을 공격한다는 이름에 걸맞게 적극적이고 공세적인 처세의 힘이다.

상관은 이성적이고 합리적인 실속의 기운이다. 목적과 상황에 맞게 자신의 감정과 태도를 변화시킬 줄 안다. 상관이 강한 사람들은 예리하고 화려하며, 상황에 적극 개입해 변화를 주도하는 공세적인 화술을 펼친다. 날카롭고 정확한 표현이 강점이다. 따라서 홍보와 영업에 최적화된 힘이다. 또한 상황 변화에 민감하게 대응할 수 있고, 관계를 조율하여 이익을 얻을 수 있기 때문에 외교와 협상 분야에서 두각을 드러낸다.

독보적인 화술

식신이 글쓰기의 힘이라면, 상관은 말하기의 힘이다. 마이크와 무대만 있으면 말로 얼마든지 돋보이고 인정을 받는 것이 상관이다. 말로는 상관을 따라갈 수 없으며, 한 가지 주제로 백 가지 상황에서 다른 말을 할 수 있는 것이 상관이다. 말을 통해 자신을 증명하며, 말을 하는 와중에 새로운 생각이 퐁퐁 솟구치는 것이 상관이다. 말하는 과정에서 자신의 감정과 논리를 정리하고, 합리화하고, 내세운다.

식신이 글과 행동으로 자신의 위대함을 은연중에 드러낸다면, 상관은 말로 자신이 독보적인 존재임을 증명해 낸다. 상관의 표현력은 그림, 노래, 춤, 연기를 통해서도 잘 드러난다.

총명과 센스

식신이 독창성과 창의성의 힘이라면, 상관은 두뇌 회전과 센스의 힘이다. 천재적인 두뇌와 타고난 재능, 남들이 흉내 내기 어려운 센스를 가진 힘이 상관이다. 상관은 순간순간의 위기 대처에 최적화된 힘이며, 용의주도하고 치밀한 힘이다. 상관은 기예, 특히 손기술과 연관이 깊다. 상관이 강한 사람들은 특유의 손기술을 가진 경우가 많은데, 독보적인 예리함과 미적 감각은 주변의 감탄을 자아낸다.

한마디로 '잘난 기운'이 상관인데, 순응과 협력을 바탕으로 공동체 전체의 번영을 추구하는 사회에서 잘난 사람은 설 자리가 없기 마련이다. 모난 돌이 정 맞는다고, 상관은 사주명리의 발전 과정에서 늘 천대당해 왔다. 하지만 변화와 적응이 생존의 필수 요소인 현대 사회에서 상관은 꼭 필요한 기운이다.

아래 예시는 무토 일간의 사주로, 일간의 양편에 상관의 기운이 놓여 있고, 전체적으로 상관이 5개나 되기 때문에, 상관의 영향력이 굉장히 큰 사주이다. 이런 유형을 두고 "금 상관의 기운이 왕성한 사주"라고 표현한다.

	시주	일주	월주	연주
	상관	일간	상관	상관
천간	辛 신	戊 무	辛 신	辛 신
지지	酉 유	申 신	丑 축	酉 유
	상관	식신	겁재	상관

상관이 많은 사주

재성
(편재+정재)

재성은 일간이 극하는 오행을 말한다. 예를 들어 일간이 목이라면 사주에 있는 토의 기운을 재성이라고 한다.

재성 관계도. 일간이 목일 때는 토가 재성이다.

- 일간이 목일 때 토가 재성에 해당한다.
- 일간이 화일 때 금이 재성에 해당한다.
- 일간이 토일 때 수가 재성에 해당한다.
- 일간이 금일 때 목이 재성에 해당한다.
- 일간이 수일 때 화가 재성에 해당한다.

재성은 재물 재財에 별 성星으로, 재물의 기운이라는 의미다. 재성은 음양에 따라 둘로 나눌 수 있다. 기준이 되는 일간과 음양이 같다면 편재라 하고, 음양이 다르면 정재라 부른다.

오행의 관계만 가지고 따질 때는 재성이라 통칭하며, 음양의 관계까지 고려하면 편재와 정재를 구분한다.

내 영향권 확보

재성은 내가 극하는 오행이다. 여기서 극한다는 것은 내가 갈구하고, 취한다는 의미를 가지고 있다. 취한다는 것은 내가 관리한다는 의미도 함께 가지고 있다. 내가 취해서 내 영향권에 두는 것, 그것이 재성의 본질이다.

흔히 재성의 인간관계를 아버지로 본다. 남성, 여성 모두에게 적용하며, 사주에 있는 재성이 일간의 아버지 역할을 한다. 사주에 재성의 힘이 미약하거나 부정적으로 작용한다면, 아버지와 불화를 겪거나 아버지의 사랑을 받지 못함을 뜻한다.

재성은 일간이 취하는 기운인데, 왜 재성이 아버지인가를 이해하려면 가정 안에서 아버지 역할에 주목해야 한다. 재성은 일간이 취하는 기운이기에 적극성, 사회적인 역량, 대인 관계의 역량을 의미한다. 명리학이 정립되어 오는 시기에는 주로 아버지가 사회 활동을 전담했기 때문에 사회적인 역량을 의미하는 재성이 곧 아버지라는 공식이 자리 잡았다. 이를 현대에 접목하면, 집 안에서 사회생활을 담당하는 가족과의 관계가 곧 재성이라고 할 수 있다.

또한 남성 사주에서 재성은 아내를 의미한다. 전통적 의미에서 남성은 여성을 취해서, 소유한다. 현대에는 어울리지 않는 공식이지만, 과거에 남성에게 여성은 취해야 할 대상, 소유물, 관리해야 할 대상이었다. 여성을 취해서, 울타리 안에 가두고, 잘 관리하는 것이 남성이 여성을 취하는 방식이었던 것이다. 재성이 일간이 취하는 오행을 의미하니, 남성에게 재성이 아내로 자리 잡았던 것이다.

물론 현대에는 남녀의 역할과 역학 관계가 바뀌었기 때문에, 반대로 해석할 수 있다. 여성 사주에서 재성을 남편으로 보기도 하는 것이다. 사주명리의 기본 원리는 그대로인데, 시대 변화에 따라 해석을 달리한다. 본격적으로 여성이 남성을 취하는 시대가 오면, 여성 사주의 재성이 남성이라는 공식이 성립할 수도 있다.

강렬한 재물 욕망

재성은 극해서 취하는 기운이다. 갖고 싶어 하는 마음, 내 것으로 만들고 싶은 마음, 빼앗고 싶은 마음, 적극적인 쟁취의 힘을 재성이라고 볼 수 있다. 또한 재성은 자신이 취한 것을 온전히 관리하는 힘이다. 새어 나가지 않게 보수하고 유지하고, 신경을 곤두세우고 들여다보는 힘이다. 따라서 재성은 이름 그대로 돈(재물)과 아주 관련이 깊다. 돈을 벌려면 욕심이 있어야 하고, 돈을 유지하려면 신경을 곤두세우고 관리할 수 있어야 하기 때문이다.

가을의 청설모를 예로 들 수 있는데, 잣나무 사이를 뛰어다니며 잣송이를 까고, 잣을 모아서 저장하는 분주한 움직임을 재성의 기운으로 비유할 수 있다.

사주에 재성이 부족하면, 새로운 물건 자체에 흥미가 없고, 경쟁해서 얻으려는 힘이 약하다고 볼 수 있다. 취해서 관리하는 것에 익숙하지 않고, 재물을 다루는 데 능숙하지 않아서 큰 재산을 모으는 데는 불리한 기운으로 본다. 오히려 너무 많은 돈이 들어오면 불안해서 감당하지 못하는 것이다.

반대로 사주에 재성이 너무 강하면, 재물에 대한 욕망이 너무 강렬해서 새로운 물건을 사느라 번 돈을 모두 써 버린다. 물건에 대한 욕망, 새로운 것을 수집하려는 욕망에 사로잡혀서 쓰지도 못할 물건을 몽땅 사들이고 본다.

재성의 기운이 불안한 사주라면, 재성의 부작용이 크게 나타난다. 돈을 벌었다고 자랑하고 싶어서 사치를 부리게 되고, 크게 돈을 벌기 위해 위험한 투자나 도박을 하게 된다. 요행을 바라거나, 남의 재산을 탐내는 마음을 주체하지 못해 어긋난다.

타고난 일복

재물 복은 곧 일복과도 관련이 있다. 재성이 많으면, 가만히 있어도 돈이 굴러 들어오는 것이 아니라 일이 많다는 뜻이다. 어디를 가나 일거리가 있고, 일이 없으면 스스로 찾아서 하는 것이 재성의 기운이다. 가을의 청설모는 한시도 가만히 있지 않는다.

또한 재성은 재능을 의미한다. 재능을 바탕으로 재화를 생산해 내는 것이 재성의 작용이다. 재성의 재능은 일을 마무리해서 반드시 결과를 낸다. 반짝이고 마는 센스가 아니라, 어떻게 해서든 결과를 도출해야 직성이 풀리는 성정에서 비롯된 것이라서, 현실적으로 요긴하게 쓰일 수 있는 실용적인 재능이다.

식상이 일의 과정이라면 재성은 일의 마무리이다. 식상이 강하고 재성이 약하면, 시작만 있고 마무리는 없는 유시무종의 경우를 의미한다. 반대로 식상이 약하고 재성이 강한 경우는 과정 없이 결과만 도출하는 자세를 뜻한다. 모로 가든 서울만 가면 된다는 자세, 성과 중심주의가 그것이다.

넓고 얕은 대인 관계

집단으로 살펴보면, 비겁은 가정, 식상은 동네, 재성은 도시로 볼 수 있다. 재성은 식상에서 한발 더 나아가 다양하고 넓은 인간관계를 맺으려는 의지다. 즉 "사회적(인적) 네트워크", "넓은 대인 관계"를 뜻한다. 재성이 강한 사람들은 여러 사람을 넓고 얕게 만나려고 한다. 다양한 사람과 교류하고 그 복잡한 관계 속에서 자기 위치를 정립하려 한다.

결혼식장에서 자리를 옮겨 가며 이 무리 저 무리와 대화를 나누고, 피로연에서 사회를 보고, 고등학교 친구와 대학교 친구를 엮어 주는 모습에서 재성의 본질을 확인할 수 있다.

재성이 강한 사람은 대인 관계가 원만한데, 특히 사회적 관계에서 어려운 일에 처한 사람을 발견하면 나서서 도와주는 성향이 강하다. 친구들 돈을 모아서 곤경에 처한 친구를 도와주는 데 앞장서는 모습이 재성이다. 돈의 역할과 쓰임을 잘 알고 활용하는 것이다.

피로라는 대가

재성이라는 것은 내가 다른 오행을 조절하고, 제어하고, 컨트롤하는 것을 의미한다. 제어하려면 늘 긴장 상태로 신경 써야 하고 움직여야 한다. 돈을 번다는 것, 사회 활동을 한다는 것의 근원이 그러하다. 신경을 쓰지 않으면, 돈이 새어 나가고 남들이 내 돈을 앗아 간다.

재성은 밭으로도 볼 수 있는데, 재성이 강해 밭이 많다는 것은 다른 의미로, 경작해야 할 영역이 넓다는 말이다. 일을 한 만큼 돈은 들어오겠지만 그만큼 힘이 들고, 기의 소모가 크다.

인성과 식상은 일간과 거리가 가까운 십신이다. 인성은 일간의 바로 앞 단계에서 일간을 생하고, 식상은 일간의 바로 다음 단계에서 일간이 생한다. 하지만 재성과 관성은 일간과 거리가 멀다. 재성의 경우, 식상을 통해서만 일간과 관계를 맺을 수 있다. 극의 관계인 십신은, 거리가 멀기 때문에 낯설지만 재미있으면서 신명이 나는 것이 특징이다. 하지만 이질적인 기운이니만큼 피곤하고, 기력이 많이 소모되는 것이 사실이다. 따라서 재성도 피로를 동반하기 마련이다. 신경을 쓰고, 기를 빼앗기고, 에너지를 많이 쓰니 약해지는 것이다. 너무 지나치게 돈과 관계·성과·재물에 몰두한다면, 재성을 다스리는 방법을 고민해야 한다. 사회적 존재로서 살아간다는 것은 폼 나는 일이지만 대가가 따르는 법이다.

공부를 방해하는 기운

재성은 인성을 극한다. 사주에 재성이 강하거나 운으로 재성의 힘이 들어오면 인성을 의미하는 "통찰력, 공부, 문서, 인내심, 어머니"가 안정성을 잃고 흔들린다는 의미다.

종일 돈 벌 생각을 하면서 바쁘게 돌아다니는 사람에겐 공부할 시간도, 마음의 여유도 없다. 바쁜 재물 활동이 차분히 앉아서 공부할 여유를 빼앗아 가는 것이다. 또한 눈앞의 성과에 몰두하는 사람은 사물의 본질이 눈에 들어오지 않는 법이다.

남성 입장에서 재성은 여성이다. 자꾸 여성과의 관계에 몰두하다 보면, 어머니와 자주 마찰과 갈등을 빚는다. 결혼한 남성의 경우 아내의 입장을 세우면 세울수록 어머니는 외로워지기 마련이다. 재성(아내)이 인성(어머니)을 극하는 것이다. 만약 인성이 많아서 문제라면, 아내와의 관계는 아주 좋은 해결 방안이 될 수 있다. 아내와의 관계를 통해 어머니에게 지나치게 의존하던 상황에서 벗어날 수 있기 때문이다.

인성은 부동산, 자격증을 의미하기도 한다. 재성이 강한 사람들은 당장 융통할 수 있는 현금 재산, 재물의 흐름을 중요시해서 오랫동안 묶혀 놔야 하는 부동산엔 관심이 없다. 당장의 결과물을 원하기 때문에 재성이 강하면, 부동산을 처분해 투자를 하려고 한다. 재성(현금)이 인성(부동산)의 기운을 약하게 만드는 것이다.

한편 청소년기의 재성 운은 큰 의미가 있다. 청소년기는 책상에 앉아서 공부해야 할 때다. 이 시기에 재성 운이 오면, 친구 사귀고, 명품을 검색하는 데만 관심을 쓰기 때문에 공부와 인연이 멀어진다. 대학에 입학해서도 돈을 벌려고 휴학을 하기도 한다. 공부를 하지 않는다고 닦달만 할 것이 아니라 운의 향방을 보며 대책을 마련해야겠다.

경제 활동의 힘

재성은 사회생활의 기운, 네트워크의 기운, 재물의 기운을 의미하기에 다양한 직업군과 어울린다. 특히 혼자서 하는 작업이 아니라 사회의 일원으로 경제 활동에 참여하는 직업군에 특화되어 있다.

보통의 회사원을 포함하여 자영업, 사업 등 모든 영역의 경제 활동과 관련이 깊다. 재성이 강한 사람들은 돈과 관련한 금융, 증권, 재무, 보험, 유통 분야에서 두각을 드러낸다. 안정적인 수입이 보장된 공직과도 연관되어 있다.

재성이 많은 사주

아래 예시는 임수 일간의 사주로, 월주 전체가 재성으로 구성되어 있고, 시지와 일지에도 재성의 기운이 놓여 있다. 일간의 주변에 재성의 기운이 많이 놓여 있으니 재성의 영향력이 큰 사주이다. 이런 유형을 두고 "화 재성의 기운이 왕성한 사주"라 표현한다.

	시주	일주	월주	연주
	상관	일간	정재	겁재
천간	乙	壬	丁	癸
	을	임	정	계
지지	巳	午	巳	未
	사	오	사	미
	편재	정재	편재	정관

정재

일간과 음양이 다르고 일간이 극하는 기운을 정재라 한다. 즉 일간이 무토라면, 사주에 있는 계수와 자수를 정재라 한다.

정재는 바를 정正에 재물 재財로, 올바른 재물의 기운이라는 의미다. 일간과 다른 음양을 대상으로 일간의 적극적 활동성이 발현된 기운이기에 밸런스를 잡고 안정성 있게 재물 활동을 하는 힘이다.

가진 것을 잘 지키려는 기운

정재는 내 몸에 지닌 재물, 안정적인 수익을 의미한다. 고정적으로 따박따박 들어오는 수입이며, 안정적인 월급을 받는 직장(대기업, 공기업, 학교 등)에 해당한다. 안정적인 투자, 부채가 없는 자기 소유의 부동산, 자기 자본으로만 하는 사업, 현금, 귀금속이 모두 정재의 속성에 해당한다.

정재는 내 손에 들어온, 변하지 않는, 확보된 재물이라는 의미를 담고 있다. 사주에 정재가 강한 사람들은 안정적으로 돈을 벌 수 있는 기회가 주어지기 때문에 큰돈을 벌어야겠다고 굳이 생각하지 않는 편이다. 있는 것을 잘 지키자는 성향이 강하다.

근면, 성실의 아이콘

정재는 근면, 성실의 아이콘이다. 모든 일을 정직하고 성실하게 차분히 해내고, 자신의 정한 틀에 맞게 매사 노력하는 자세가 정재의 표상이다.

편재가 역동적이라면, 정재는 고정적이다. 변하지 않는 가치를 지키며, 책임감을 가지고 안정적으로 일을 완수하는 자세가 정재가 지향하는 것이다. 정확하고 정직하게 일하고, 신용을 지키고, 공과 사를 확실히 구분하는 것, 매사에 정도를 가지고 일관된 태도로 임하는 것이 정재가 강한 사람들의 마음가짐이다.

정재와 편재 모두 총명함의 요소가 있다고 볼 수 있는데, 편재가 번뜩이는 총명함이라면, 정재는 노력을 통한 총명함이라고 볼 수 있다. 허황된 꿈을 좇지 않고 하루하루 과제를 완수해 나가는 우직함, 패턴을 유지하며 하루하루 신용 점수를 늘려 나가는 것이 정재의 총명함이다.

정직한 실리주의자

정재는 단순하고 우직한 현실의 힘이다. 지금 이 순간, 내 눈앞에 있는 것만을 믿는다. 그래서 현금을 중시하고, 무리한 대출보다는 적금을 선호한다. 부풀려진 말보다는 실질적인 결과물을 내놓았을 때 신뢰한다.

이러한 성향은 뛰어난 현실감각으로 표출된다. 사주에 정재가 강한 사람들은 현실적인 경제 감각이 뛰어나고, 실현 가능한 목표를 세우고, 현실적인 과정들을 통해 목표에 접근하려 한다. 배우자를 선택할 때도 외모나 학벌이 아닌 경제력을 중요시한다.

정재는 감정보다는 이성과 논리를 중시하고, 명예를 중요시하되 성실하게 단계를 쌓아서 성취하고자 한다. 권모술수나 재주를 부리기보다는 현실적인 과제들을 해결하면서 인정받아 권력을 쟁취하려 한다. 그렇기 때문에 정재가 강한 사람들은 허황된 말을 떠벌리는 사람, 과장된 꿈에 들떠 있는 사람, 말만 앞서고 실천이 더딘 사람들을 마음속으로 경멸한다.

변동성이 크고 급변하는 사회에서 정재는 자신과 가족을 지킬 수 있는 최고의 힘이 된다. 변동성이 큰 환경에서는 크게 버는 것보다 자신과 가족의 자산을 지키는 것이 더 중요하기 때문이다. 최고의 수비가 최고의 공격이 되는 것인데, 상황이 불안정할수록 지키고 보존하는 최고의 현실감각인 재성이 빛을 발한다.

인색한 베풂

화폐는 장부다. 정재는 화폐, 즉 장부를 손에 쥐는 힘으로, 모든 것을 기록하고, 관리하는 힘이다. 기록대로 준 만큼 받고, 받은 만큼 주는 힘이다. 외상을 허락하지 않고, 기록대로 하는 것이 정재의 본질이다. 정재가 강한 사람들은 나눔에 인색한 편이다. 돈을 써야 할 때는 쓰는데, 생색을 내긴 어렵다. 십 원짜리 하나를 쓰더라도 용도에 맞게 써야 직성이 풀리기 때문이다. 그래서 정재가 강한 사람들은 베풀고도 욕을 먹는 경우가 많다. 나중에 돌려받을 것을 계산하고, 자기에게 필요한 것은 남겨두고 자투리만 내어 주기 때문이다.

어찌 보면, 현명하고 합리적인 관계 맺기로 보이지만, 인간관계는 그렇게 간단한 것이 아니다. 돈을 빌려 주면서 여러 가지 조건을 다는 사람보다, 돈을 빌려 주지 않더라도 한마디 말을 따뜻하게 하는 사람이 더 높은 평가를 받는 것이 현실이다.

타인에게 너그러울 것

인색하고 검소한 정재의 성향은 인간관계에서도 드러난다. 정재가 강한 사람들은 새로운 사람이나 낯선 상황을 두려워한다. 마음을 내어 준 사람과는 친밀하게 지내지만, 한번 사이가 틀어지면 두 번 다시 만나려 하지 않는다. 꼿꼿한 선비 같은 기개가 있어서 자신의 자존심을 건드리면 용서하지 않는 것이다.

정재가 강한 사람이, 줄 것은 주고 받을 것은 받는다, 1+1=2가 되어야 한다, 규칙과 규범은 반드시 지켜야 한다는 명제를 남들에게 적용하여 깐깐하게 굴면, 보수적이고 쪼잔한 인간으로 낙인찍혀 손가락질을 받기도 한다. 정재가 강한 사람이라면 특히 "나에겐 엄격하게, 남에겐 너그럽게"라는 말을 되새겨야 하겠다.

다음 예시는 갑목 일간의 사주로, 월주 전체가 정재로 구성되어 있고, 지지 전체에 재성의 기운이 쭉 깔려 있다. 재성이 무려 다섯 개이고, 그중 정재가 네 개니, 정재의 영향력이 큰 사주이다. 이런 유형을 두고 "토 정재의 기운이 왕성한 사주"라 표현한다.

	시주	일주	월주	연주
천간	겁재	일간	정재	겁재
	乙	甲	己	乙
	을	갑	기	을
지지	丑	戌	丑	丑
	축	술	축	축
	정재	편재	정재	정재

정재가 많은 사주

편재

일간과 음양이 같고 일간이 극하는 기운을 편재라 한다. 즉 일간이 무토라면, 사주에 있는 임수와 해수를 편재라 한다.

편재는 치우칠 편偏에 재물 재財로, 치우친 재물의 기운이라는 의미다. 일간과 같은 음양을 대상으로 일간의 적극적 활동성이 발현된 기운이기 때문에 과감하고 폭발적으로 재물 활동을 하는 힘이다.

많지만 내 것이 아닌 돈

정재가 내 몸에 지닌 재물, 선천적으로 타고난 재물을 의미한다면 편재는 내 몸에 지니지 않은 재물을 의미한다. 수중에 돈은 많은데 그 돈이 내 돈이 아닌 것이 바로 편재이다.

따라서 사주에 편재가 강한 사람들은 대출을 받아 집을 사고, 차를 리스하는 것을 대수롭지 않게 여긴다. 꾸준히 모으는 것보다, 빌려서 즐기고 갚으면 되지라는 생각으로 사는 사람이 많다. 사업을 하더라도 자기 자본금 없이 은행돈으로 시작하고, 도산을 크게 염려하지 않는다. 어차피 "돈은 내 것이 아니다"는 관념이 자리 잡고 있기 때문이다.

융통성의 왕

선천적으로 주어진 재물이 없기 때문에 편재는 기술과 요령을 연마해서 돈을 벌 궁리를 하는 경우가 많다. 내 재산이 언제 새어 나갈지 모르기에 자꾸 돈 벌 아이디어를 찾고, 새로운 것을 궁리해 내는 것이다. 편재의 이러한 성향은 주어진 자기의 재산을 지키며, 성실히 직장 생활을 하는 정재의 성향과 대조적이다.

또한 편재가 강한 사람은 "융통성의 왕자"라서 처세에 굉장히 능하다. 매사에 융통성이 있고, 유연하게 대처하는데 이는 모두 편재 특유의 현실성에 기반한다. 풍류를 즐기면서도 나에게 이익이 되는지의 여부를 따지고, 머릿속으로 계산기를 두드린다. 투자와 계산에 관해서는 머리가 비상하기 때문에 실리적 계산이 빠르고 먼 미래를 염두에 두고 돈을 쓴다. 눈앞의 이익을 위해 돈을 쓰는 정재와 다른 점이다.

탁월한 조망 능력

편재는 화끈하고 과감한 투자의 힘이다. 먼 미래, 더 큰 재물의 가능성을 믿는다. 그래서 현금보다는 지분을 중시하고, 적금보다는 일확천금의 기회를 좇는다. 눈앞에 뻔히 보이는 결과물보다는 크게 부풀려져서 돌아올 투자 성과에 흥미를 보인다. 하지만 크게 따기 위해서는 크게 걸어야 한다. 큰돈을 걸었다면 크게 딸 수도 있지만 크게 잃을 수도 있는 법이다.

이러한 성향은 뛰어난 투자 감각으로 표출된다. 사주에 편재가 강한 사람들은 먼 미래를 내다보는 안목과, 전체적인 흐름을 파악하는 총괄적인 시각과 감각이 탁월하다. 편재는 조망하는 능력 그 자체를 의미하는데, 설계도와 지도를 머릿속에 두고 일이 진행되는 과정에서 흥미를 느낀다.

이성과 논리보다는 감성과 감각을 중시하고, 눈앞의 소소한 명예보다는 한꺼번에 큰 명예를 거머쥐고자 한다. 안정적인 식량 공급원인 산꿩보다 기린 사냥에 열을 올리는 아프리카의 부족을 예로 들 수 있는데, 열흘을 굶더라도 한번의 성공으로 크게 버는 것에 열중하는 것이 편재이다. 그렇기 때문에 편재가 강한 사람들은 눈앞의 소소한 이익에 치우쳐 큰 그림을 그리지 못하는 사람을 답답해한다.

기부의 이면

편재는 기부와 봉사의 아이콘이다. 큰돈이 생기면 호탕하게 사회에 기부금을 내거나 사람들을 모아 봉사 활동을 하는 것이 편재의 힘이다. 편재를 가진 사람은 돈의 주인이 아니고 돈의 중개인이다. 자기가 융통할 수 있는 돈이 생기면, 돈이 필요한 곳으로 과감하게 보내기 때문에 기부가 가능한 것이다.

전체를 조망하면서도 다분히 현실적인 편재의 특성을 감안했을 때, 편재의 봉사는 미래를 위한 투자로 볼 수 있다. 사회적 공헌이 먼 훗날 큰 이익으로 돌아오기에 기부와 봉사를 감행한다고 이해할 수도 있다.

과감하고 멋있는 방식이지만, 편재의 가장 큰 단점은 자신의 주머니에는 돈이 하나도 들어 있지 않다는 것이다. 다 내어 주고 본인은 정작 끼니 걱정을 할 정도로 궁핍하게 살아야 할지도 모른다.

어디서나 인기 폭발

넓은 활동력을 자랑하는 편재는 넓고 활발한 대인 관계를 유지한다. 틀에서 벗어나 자유롭게 행동하고, 유머 감각이 뛰어난 사람이 많다. 자유롭게 행동하면서도 사회의 질서나 규범에서 크게 벗어나지 않고, 사람과의 관계를 중시하기에 약속과 신용을 잘 지킨다.

편재는 한눈에 조망할 수 있는 지도를 의미한다. 전체의 판을 짜는, 기획하고 설계하는 능력이 바로 편재의 본질이다. 식상도 기획을 하지만, 식상의 기획이 말만 앞서고 실제로는 잘 진행되지 않는 것이라면 편재의 기획은 다분히 현실적이다. 실제로 편재가 강한 사람들이 지도(개발, 기획, IT, 설계, 운항)와 관련된 직업에 종사하는 경우가 많다. 전체 판을 조망하려는 욕구 때문이다.

사주에 편재가 강하다면, 기본적으로 이성에게 인기가 많다고 본다. 유연하고, 유머 감각을 갖추었으며, 재물을 통 크게 다루기 때문에 이성들의 호감을 받을 요소를 가지고 있는 것이다. 편재가 강한 남성은 여성에게 관심이 많다. 예쁜 여성을 밝히며, 여성을 유혹하기 위해 다양한 끼를 부린다. 편재가 강한 여성은 남성을 밝히지는 않지만 남성의 외모에는 상당한 관심이 있다. 남성의 경제력이 조금 떨어지더라도 남들 보기에 멋진 남성을 선택하는 경향도 가지고 있다.

아래 예시는 경금 일간의 사주로, 지지 전체가 편재로 구성되어 있다. 연간에도 편재가 자리 잡고 있으니, 편재의 영향력이 아주 강한 사주이다. 이런 유형을 두고 "목 편재의 기운이 왕성한 사주"라 표현한다.

	시주	일주	월주	연주
	편인	일간	편관	편재
천간	戊 무	庚 경	丙 병	甲 갑
지지	寅 인	寅 인	寅 인	寅 인
	편재	편재	편재	편재

편재가 많은 사주

관성
(편관+정관)

관성은 일간을 극하는 오행을 말한다. 예를 들어 일간이 목이라면 사주에 있는 금의 기운을 관성이라고 한다.

관성 관계도. 일간이 목일 때는 금이 관성이다.

- 일간이 목일 때 금이 관성에 해당한다.
- 일간이 화일 때 수가 관성에 해당한다.
- 일간이 토일 때 목이 관성에 해당한다.
- 일간이 금일 때 화가 관성에 해당한다.
- 일간이 수일 때 토가 관성에 해당한다.

관성은 관직 관官에 별 성星으로, 관직의 기운이라는 의미다. 관성은 음양에 따라 둘로 나눌 수 있다. 기준이 되는 일간과 음양이 같다면 편관이라고 하고, 음양이 다르다면 정관이라 부른다.

오행의 관계만 가지고 따질 때는 관성이라 통칭하며, 음양의 관계까지 고려하면 편관과 정관을 구분한다.

나를 통제하는 사람들

관성은 일간을 극하는 기운이다. 극은 단어의 뜻 그대로 보면, 공격과 억압이라는 부정적인 의미를 담고 있다. 하지만 극을 통해 일간이 통제의 영역하에 들어오기 때문에 일간을 제어하고 관리하는 기운을 관성의 본질이라고 볼 수 있다. 일간의 입장에서는 관성을 통해 통제되기 때문에 관성의 가족 관계는 통제와 관련이 깊다.

관성의 인간관계에서 가장 먼저 언급해야 할 것은 여성의 사주에서 관성은 남성에 해당한다는 것이다. 남성은 여성을 극해서 취하고, 여성은 남성에게 극을 당해서 울타리 안으로 들어간다는 남녀관이 그대로 반영된 것이다. 남성의 입장에서는 여성이 재성이므로, 여성의 입장에서는 남성이 관성이 되는 것이다.

사주의 남녀관이 취하고(재성) 취함을 당하는(관성) 방식으로 규정되어 불편하게 느껴질 수 있지만, 취하고 취함을 당한다는 것의 속사정을 안다면 오히려 남녀 관계의 본질을 통찰할 수 있다. 여성은 남성에게 주도권을 내어 주려는 성향이 강하다.

일단 남성이 주도하길 바라는 것이다. 반면, 실질적인 이익이나 관계의 키는 여성이 쥐고 있는 경우가 많다. 겉으로는 남성이 주도권을 쥐고 있는 것처럼 보이지만, 실질적인 권력은 여성이 휘두르는 것이다. 기세에서는 밀리지만, 실속은 여성이 차리는 셈이다. 기세 좋게 취한다고 해서 마냥 좋은 것은 아니며, 극을 당한다고 해서 마냥 슬픈 것만도 아니다.

남성 사주에서 관성은 자식을 의미하는데, 남성이 자식에게 극을 당한다는 것은 남성이 가지는 중압감으로 설명할 수 있다. 자식이 있으면 남성은 어깨에 힘이 들어간다. 아버지로서 권위도 얻지만, 동시에 자식을 부양해야 하는 책임감을 강하게 느끼기 때문이다. 자식은 자신보다 잘살아야 한다는 의식, 자식에게 어떻게 해서든 재산을 물려주고 싶은 마음이 곧 남성의 삶을 옥죄는 것이다. 자식을 통한 가문의 승계가 삶의 중요한 가치였던 시기에는 맞는 공식이지만, 현대에는 어울리지 않는다. 자녀 양육의 책임을 남성이 오롯이 짊어진다고 보기 어렵기 때문이다. 남성에게 자식이 관성이라는 공식에 얽매일 필요는 없겠다.

사주에서 재성은 아버지를 의미하는 기호이다. 관성 역시 아버지와 관련이 깊다. 관성이 제어와 억압의 기운이기 때문인데, 만약 사주에 관성이 지나치게 강하다면 가정에서 아버지와의 불화를 암시한다고 볼 수 있다. 자녀를 자신의 뜻대로 주무르고 억압하는 아버지는 자녀 사주에 재성이 과도했을 때가 아니라 관성이 지나치게 강할 때 자주 등장한다.

"어른의 기운"

관성은 일간을 극하는 기운이다. 일간 즉, 나를 극하기에 '나' 입장에서는 불편하고 부담스럽다. 다른 식으로 표현하면 나를 컨트롤하는 기운이라고 말할 수도 있다. 내가 하고 싶은 것을 못하게 하고, 내 욕망을 억제하고, 나를 불편하게 만드는 것이 바로 관성의 기운이다. 내 삶의 브레이크요, 채찍과도 같은 힘이 관성이다.

이런 관성은 불편하기 짝이 없지만, 우리는 이런 불편함을 통해 '나'라는 알을 깨고 나올 수 있다. 여러 번 지적당하고, 통제당하면서 자신을 객관적으로 들여다보는 힘이 생기는 것이다. 관성을 이른바 "어른의 기운"이라고 부르는 이유가 여기에 있다. 어른이 되는 일은 거친 세상에 나가서 깨지고, 넘어지고, 부딪히는 과정을 통해서만 가능하다.

나를 깨부수는 강한 힘에 의해 단련이 된 사람들은 비로소 자기절제의 묘를 터득하고, 그런 사람들은 공적인 영역에서 유리한 고지를 차지한다. 또한 그런 자기절제를 통해 타인을 통솔하는 리더십도 갖춘다.

이처럼 나를 극하는 힘인 관성은 나를 극한으로 밀어붙이기도 하지만, 그로 인해 자신의 한계를 넘어설 기회를 주기도 한다. 관성의 힘이 적절할 때, 큰 무대에 나가 세상을 호령할 수 있는 것이다.

하지만 관성의 힘이 강하면 절제가 아니라 억압이 된다. 관성의 강한 힘에 억눌린 사람들은 자신을 탓하며 우울증에 빠지거나 집 밖으로 나오지 않는 은둔자가 된다. 세상의 거친 풍파에 상처를 심하게 받은 것으로 볼 수 있다.

한편 관성의 힘이 강한 사람들은 자신의 가치를 상대방에게 폭력적으로 강요하는 경우가 많다. 자신이 받은 억압을 그대로 타인에게 되돌려주는 것이다.

엄격한 조직의 힘

관성은 체계system의 힘이자, 공적인 조직을 의미한다. 규율, 법령, 위계질서, 체계화된 조직, 관료 제도가 모두 관성의 범주에 속한다. 명령과 지시, 그에 따른 수행과 복종에 기반한 규율이 엄격한 집단이 바로 관성의 기운을 의미하는데, 현대 사회에서는 공직, 공기업, 군경, 대기업이 관성에 해당한다. 이른바 관청에 해당하는 기운이 관성인 것이다.

관성은 엄격한 조직 문화를 의미하기에, 성과와 수평적 인간관계가 돋보이는 조직은 재성과 어울리고, 위계와 질서, 계급이 중요시되는 조직은 관성과 어울린다고 볼 수 있다. 사주에 재성이 강하다면 수평적 조직에서 두각을 드러낼 수 있고, 관성이 강하다면 수직적인 조직에서 두각을 드러낼 수 있는 것이다.

공부 자체는 인성의 기운으로 볼 수 있는데, 학교에서 하는 공식적인 교육 과정은 모두 관성의 기운으로 볼 수 있다. 특히 학위와 자격증이 중요한 목적인 대학과 대학원의 경우 전형적인 관성의 범주에 해당한다. 사주에 관성의 기운이 잘 자리 잡혀 있다면, 대학과 대학원에서 무난히 목표를 성취하리라 예상

할 수 있는 것이다.

관성이 강한 사람은 대인 관계도 사적인 것보다 공적인 관계에 치중하는 편이다. 공적인 관계 중에서도 선후배가 확실한, 위계가 있는 관계에서 두각을 나타낸다. 선배에게 복종하고 후배에게는 충성을 강요하는 것이다. 후배에게 베풀 때는 아주 호쾌하게 베푸는 것이 관성이 강한 사람의 특징이다.

조직이 곧 나

나를 제어한다는 것은, 하고 싶은 것을 하지 않고 포기하는 것을 의미한다. 욕망을 덜어 내고 참는 것, 욕심을 줄이고 집단의 규율에 나 자신을 맞추는 것이다. 조직을 위해 자신과 사생활을 포기한 사람에게는 승진이라는 훈장이 수여되고, 높은 자리로 올라갈수록 자존심과 명예라는 부상이 따라온다. 관성의 자존심과 명예는 희생과 노고를 바탕으로 쟁취한 것이기에 관성이 강한 사람들은 긍지를 갖는다.

자신을 드높인 자존심과 명예는 조직이 부여한 것이기에 관성이 강한 사람들은 자기의 존재감을 조직에서 찾는다. 조직이 곧 나이고, 내가 곧 조직인 것이다. 가족보다는 조직을 먼저 생각하고, 자나 깨나 조직의 안위를 염려하는 것이 관성이 강한 사람들의 특징이다. 이런 사람들은 조직을 떠나면, 삶의 근거 자체를 잃기 때문에 매우 위험하다. 직업으로 보자면 고위 공직자, 교사, 군경에 해당한다. 평생 조직을 위해 일하다 조직에서 이탈하면, 자신을 강하게 제어하던 컨트롤타워를 잃어버린 격이 되어 제2의 삶을 설계하기가 어렵다.

관성은 대의명분을 의미하기도 한다. 관성이 강한 사람들은 사사로운 개인의 의견보다는 공공의 가치, 대의명분에 더 비중을 두는 사고방식을 가진다. 명분이 있다면, 손해를 보더라도 움직이고, 힘들더라도 자신의 몫을 내어 주는 것이 바로 관성의 습성이다.

사주에 관성이 강한 사람들은 자신의 판단이 항상 객관적이라고 생각한다. 그래서 나는 옳고 현명하다고 확신하고, 그걸 바탕으로 다른 사람을 설득하려 한다. 하지만, 세상에 객관이라는 것은 존재하지 않는다. 관성이 공적인 영역에서 특화된 힘이니 본인이 모든 판단의 기준이 되려고 하지만, 모든 사람에게 같은 척도를 적용하는 것은 또 하나의 폭력이 될 수 있다.

예측 가능성과 안정의 힘

관성은 울타리, 틀 안에 놓인 상황을 의미한다. 정교하게 제어하고 조절하고 규정하는 힘이 곧 관성이다. 관성은 마치 시계처럼 불확실한 세상에 질서를 부여한다. 규칙성과 질서를 바탕으로 일관성을 유지하는 것을 관성의 본질이라고 할 수 있는데, 일관성이 유지되니 예측 가능성이 높아지고 투명해진다. 안정과 평안을 보장하는 것이다. 안정과 평안이라는 측면에서 관성은 보수의 힘으로 볼 수 있다. 반면 관성을 극하는 식상은 진보의 힘으로 볼 수 있다.

규칙성, 예측 가능성, 안정성은 인간의 신체 건강에도 아주 큰 도움을 준다. 적절한 관성은 건강을 지키는 가장 중요한 요소라고 할 수 있다. 일간을 극하는 기운이 건강을 불러온다는 것이 아이러니하지만, 적절한 제어와 통제는 건강을 유지하기 위한 최고의 방책이다. 다만 관성이 너무 강한 경우 극심한 스트레스를 유발하기 때문에 건강에 부정적인 결과를 가져온다.

인성을 돕는 관성

관성은 일간 혹은 비겁을 극한다. 관성이 강하다는 것은, 비겁을 뜻하는 주체성, 친구나 동료와의 관계가 흔들린다는 의미다. 따라서 관성이 강한 사람은 생각을 교류할 동급의 친구와 인연이 먼 편이다. 너무 강한 관성이 동료의 기운을 극해서 없애 버리기 때문이다.

다른 관점으로 생각하면 관성을 잘 썼다는 이야기, 사주에서 관성이 강하다는 것은 동기들과의 관계에서 우위를 점하는 능력이 월등함을 의미한다. 먼저 승진하고 혼자서 높은 자리에 올라가니, 동기들과 사이가 멀어지는 것이 당연하다. 동기와 친구를 끓어앉히고 내가 앞에 나서는 것이기 때문이다.

관성이 강하다는 것은 감당하기 어려운 짐을 짊어지고 있는 것과 같다. 백척간두에 서서 하루하루 살아가는 모습으로 비유할 수 있다. 이런 어려운 상황에서는 어떤 기운이 필요할까? 바로 인성이다. 관성은 인성을 생하고, 인성은 일간(비겁)을 생한다. 인성을 통해 강한 관성을 덜어내고, 일간에게도 도움을 줄 수 있다. 인성의 범주인 통찰력, 인내, 마음 수양, 독서를 통해 관성을 승화시킨다면, 더욱 고귀한 명예와 품격을 거머쥘 수 있을 것이다.

공무원, 교사

관성은 시스템의 기운, 관직의 기운, 어른과 품격의 기운을 의미하기에 공적이고 체계화된 직업군과 어울린다. 특히 혼자서 하는 작업이 아니라 사회의 일원으로 공적 활동에 참여하는 직업군에 특화되어 있다. 공직과 밀접하게 관련되어 있고, 출퇴근 시간이 정해져 있고 규율이 엄격한 집단과 잘 어울린다. 공무원, 교사, 소방대원, 군경, 법률가 등이다. 여성의 경우 남성이 관성에 해당하기에 남성을 고객으로 삼는 직업군과 인연이 닿는 경우가 많다.

관성이 많은 사주

아래 예시는 을목 일간의 사주로, 지지 전체가 관성으로 구성되어 있다. 월간에도 관성의 기운이 솟아나 있는 형국이니, 관성의 영향력이 아주 강한 사주이다. 이런 유형을 두고 "금 관성의 기운이 왕성한 사주"라 표현한다.

	시주	일주	월주	연주
	겁재	일간	편관	정재
천간	甲	乙	辛	戊
	갑	을	신	무
지지	申	酉	酉	申
	신	유	유	신
	정관	편관	편관	정관

정관

일간과 음양이 다르고 일간을 극하는 기운을 정관이라 한다. 즉 일간이 경금이라면, 사주에 있는 정화와 오화를 정관이라 한다.

정관은 바를 정正에 관직 관官으로, 올바른 관직의 기운이라는 의미다. 일간과 다른 음양의 기운이 일간을 극하는 기운이기 때문에 밸런스를 잡고 안정성 있게 관직 활동을 하는 힘이다.

안정된 삶

정관은 일간을 극하는 오행을 의미하는데 음양이 다르기 때문에 그 양상이 조화롭고 예측 가능한 방식으로 드러난다. 나의 부족함을 채워 주고, 넘치는 것을 제어하는 힘이다.

정관은 일간을 적절히 견제하는 힘이며, 일방적으로 극하는 힘이 아니라 균형을 맞출 수 있게 도와주는 힘을 말한다. 그래서 사주에 정관이 강한 사람은 기본적으로 안정적이고 의젓한 삶의 조건이 갖춰진 것으로 볼 수 있다. 사회가 원하는 예의 바른 사람으로서 준비를 갖춘 셈이다. 따라서 안정적이고 무난하게 사회적인 성취를 누릴 수 있다.

이런 긍정적인 작용으로 인해 예로부터 정관은 아주 좋은 기운으로 분류되었다. 특히 과거에는 사회적 성공의 수단이 오로지 관직에 나가는 길밖에 없었기 때문에 안정적인 관직의 힘을 의미하는 정관은 찬양할 수밖에 없는 기운이었다. 오죽하면 이름마저도 올바른 관직이라는 뜻일까. 하지만 모든 사주의 기운은 양면을 가지고 있다. 정관의 안정성의 뒷면에는 고리타분함과 구태의연함이라는 그림자가 숨어 있다.

실리에 밝은 보수주의자

정관은 안정을 의미한다. 정관이 강한 사람들은 자신의 모든 상황을 안정적으로 만들기 위해 충동적인 기질을 억제한다. 예측 가능한 삶을 위해 변수들을 만들지 않는 것이다. 정관은 절제와 안정성을 추구하고, 보수적이고 규칙을 지키는 성향으로 시스템을 장악하는 행정에 어울리는 힘이다. 구체적인 직업을 보면 행정 관료를 포함한 공무원, 공기업·대기업 임원이다.

정관이 강한 사람들은 정해진 틀을 잘 바꾸려 하지 않고, 정해진 틀에 자신을 끼워 맞추는 경우가 많다. 전통과 관례를 중요시하고, 특히 집안의 가풍, 조직의 관습을 중요시한다. 이러한 성향은 사람을 대할 때, 차분하고 사려 깊고 온화한 태도로 드러난다. 하지만 생각의 틀이 고정되어 있고, 활동 범위가 좁다는 단점이 있다.

안정적 성향 때문에 사주에 정관이 강한 사람들은 실속 없이 조직의 리더가 되기보다는 오래도록 자리를 보존할 수 있는 실속 있는 보직을 원하는 경우가 많다. 정년이 보장된다면 리더도 마다하지 않지만, 리더가 됐을 때 자신의 안정이 위태롭다면 굳이 리더가 되려 하지 않는다.

이러한 성향 탓에 정관은 정치적으로도 보수적이다. 선동이

나 유혹에 잘 넘어가지 않고, 자신의 무게를 잘 지킨다.

융통성의 부재

편관은 난세에 득세하지만, 정관은 법을 잘 지키며 꾸준히 권위를 공고히 다져 나간다. 즉, 정관은 규정을 잘 이해하고 준수하는 힘이 강하다. 집 안에서는 가장의 권위, 조직에서는 조직의 규칙을 최우선시하는 것이 정관적 사고방식이다.

정관은 이미 정해져 있어서 바꿀 수 없는 판결문, 규칙, 조례, 매뉴얼을 그대로 따라야 한다는 사고방식을 의미한다. 술을 마시더라도 침을 뱉지 않고, 신호등을 잘 지키고, 담배꽁초를 잘 버리지 않는 것이 정관의 태도이다. 특히 정관이 강한 사람들은 매뉴얼, 지침서, 판례집을 끼고 사는 경우가 많다. 어떤 경우에도 규칙을 어기는 것은 참을 수 없기 때문이다. 또한 규칙대로만 하면 조직이 성공할 수 있다는 신념도 가지고 있다.

당연히 사주에 정관이 강한 사람들은 규칙적인 삶을 살아간다. 아침에 일어나는 시간, 밤에 잠자리에 드는 시간이 정해져 있다. 규칙을 꼭 지키려는 성향 탓에 정관이 강한 사람들은 평생 융통성이 없다는 말을 많이 듣는다. 또한 원칙을 지켜야 한다는 강박관념이 본인의 삶을 갉아먹고 주변 사람을 피곤하게 한다.

사회 시선이 기준

정관이 강한 사람들은 사회적인 관점을 기준으로 삼고, 사회적인 틀로 자신을 평가하고 조절한다. 나를 평가하는 기준이 나 자신이 아니라 사회에 있는 것이다.

그렇기에 정관이 강한 사람은 원칙을 지키면서도 타인의 시선이나 평가에 굉장히 민감하다. 법률과 규칙에 의해 절차적 정당성을 가졌기 때문에 괜찮다고 되뇌이지만, 평가의 기준이 사회에 있어 대중의 평가에 예민한 것이다. 이로 인해 자신을 언제든 객관화할 수 있는 힘이 있으며, 항상 평정심과 여유를 잃지 않고 과제를 수행할 수 있다. 따라서 정관이 강한 사람들은 누가 보지 않아도 최선을 다하고, 강한 책임감에 휩싸여 매사에 임한다. 자신의 직분에 끝까지 책임감을 가지고 헌신하는 태도를 보인다.

이러한 책임감 있는 태도와 사회적으로 인정받으려는 욕구로 인해 정관이 강한 사람들은 남들이 쉽게 가질 수 없는 명예로운 타이틀을 차지하게 된다. 외부의 시선으로 끊임없이 자신을 평가하고, 닦아세운 결과이다.

옆의 예시는 무토 일간의 사주로, 월주와 시주가 정관으로 이루어져 있다. 일간 양쪽에 정관의 기운이 완고하게 자리 잡혀 있으니, 정관의 영향력이 매우 강한 사주이다. 이런 유형을 두고 "목 정관의 기운이 왕성한 사주"라 표현한다.

	시주	일주	월주	연주
	정관	일간	정관	정재
천간	乙	戊	乙	癸
	을	무	을	계
지지	卯	午	卯	卯
	묘	오	묘	묘
	정관	정인	정관	정관

정관이 많은 사주

편관

일간과 음양이 같고 일간을 극하는 기운을 편관이라 한다. 즉 일간이 경금이라면, 사주에 있는 병화와 사화를 편관이라 한다.

편관은 치우칠 편偏에 벼슬 관官으로, 치우친 관직의 기운이라는 의미다. 일간과 같은 음양의 기운이 정면으로 일간을 극하는 기운이기 때문에, 극단적이고 변화무쌍한 방식으로 관직 활동을 하는 힘이다.

기본적으로 고된 삶

편관은 일간을 극하는 오행을 의미하는데, 음양이 같기 때문에 그 양상이 극단적으로 드러난다. 내가 약한 부분을 강하게 찍어 누른다는 표현이 어울린다.

편관은 일간을 강하게 억누르는 힘이며, '나'를 그냥 제어하는 것이 아니라 강제로 강하게 제어하는 것이다. 그래서 사주에 편관이 강한 사람은 명령과 과업의 수행에 최적화되어 있다. 아무리 무리한 과제라도 그것을 해내야 직성이 풀린다. 강한 기운에 극을 당하고 있으니 스스로 강한 압박을 기다리고 있다고 할 수 있는데, 이 때문에 기본적으로 힘들고 고통스러운 환경에 노출돼 있다고 볼 수 있다. 억압당하는 조건이 이미 형성되어 있는 것이다. 유독 혹독한 일이 많이 일어나고, 감당하기 어려운 사건, 사고가 뒤따른다.

이런 강한 부작용 탓에 예로부터 편관은 좋지 않은 기운으로 분류되었다. 편관을 호랑이나 호랑이 발톱에 비유하기도 하고, 유년기에 편관 운이 들어오면 몸을 크게 다치거나 몹쓸 일을 겪는다고 해석하기도 했다.

편관은 편관이라는 이름보다는 주로 살殺이라는 이름으로 불렸다. 인간을 괴롭히는 기운이라는 점에 초점을 맞춘 것인데, 편관의 긍정성을 무시한 작명이라고 할 수 있다.

밤의 권력

편관은 나를 극하는 매우 강한 기운이지만, 반대로 내가 그 기운을 쓴다고 가정하면 내가 강한 힘을 갖게 된다는 의미다. 당하면서 한편으로 배우는 것으로 볼 수도 있고, 폭력적인 힘에 저항하는 내성이 강해져 그 폭력성을 잘 활용할 수 있다고도 볼 수 있다.

세상을 뒤엎을 수 있는 폭발적인 에너지, 과감하고 직선적인 에너지가 편관의 힘이다. 사주에 편관이 강한 사람은 용맹하고, 과감하다. 장군 같은 강렬한 카리스마를 가진 사람이 많으며, 과감한 결단력도 가지고 있다. 편관과 어울리는 일터나 직업으로는 위험성이 높은 직업, 힘든 육체노동, 규율이 엄격한 조직, 군경, 검찰, 특수 기관, 운동선수를 들 수 있다. 카리스마로 사람들을 압도하는 직업이 많다.

그럴 수밖에 없는 것이, 사주에 편관이 강한 사람들은 강한 편관의 기운을 강한 직업으로 풀어내야 한다. 억세고 강한 환경에 직접 부딪혀서 자신의 강한 기운을 잘 소모해야 자신이 편관의 피해를 당하지 않는 것이다. 칼을 들고 있으면 칼을 휘둘러야 하는 것과 같다. 쓰지 않으면, 자신이 베인다.

정관과 비교하자면, 정관이 행정에 어울리는 힘이라면 편관은 직접 힘을 행사하는 사법에 어울리는 힘이다. 사람들을 옥죄는 시스템과 관련이 있다는 점에서는 같지만 그 실행 방식이 다르다. 정관이 법과 제도를 바탕으로 지시한다면, 편관은 물리적인 방식으로 집행한다. 정관은 낮의 권력, 편관은 밤의 권력으로 보는 이유다. 정관과 편관을 문관과 무관으로 구분하기도 한다.

우두머리를 향한 욕망

정관도 명예욕을 가지고 있지만 편관의 명예욕과는 결이 다르다. 정관의 명예욕은 절차와 과정을 밟아 무리하지 않고 높은 자리로 오르는 것이다. 하지만 편관의 명예욕은 단숨에 우두머리가 되려는 욕망이다. 편관은 강한 카리스마를 바탕으로 아주 높은 자리까지 오를 수 있는 힘을 가지고 있어 항상 마음속에 우두머리에 대한 욕망이 있다. 얼마든지 싸울 수 있다, 싸우면 이길 수 있다는 자신감이 있으니, 호심탐탐 기회를 노리는 것이 편관이다. 선거를 통한 선출직에 당선되는 힘이며, 난세에 갑자기 나타나 권력을 장악하는 힘이기도 하다.

편관 하면 빼놓을 수 없는 것이 바로 허세와 폼이다. 사주에 편관이 강한 사람들은 손해를 보더라도 허세를 부리고 폼을 잡는다. 지나치게 체면을 중시하고, 모욕당하는 것을 견디지 못한다. 자신의 자리에 대한 자부심과 특유의 배짱이 자연스럽게 허세로 이어지는 것이다.

편관의 이런 권력욕, 명예욕, 허세는 괜한 것이 아니라 편관 특유의 힘에 기반한다. 편관은 음양의 일치에서 오는 높은 예측 불가능성, 크게 성취할 수 있는 강한 힘, 그리고 언제라도 자신을 버릴 수 있는 극단성을 갖고 있다. 이러한 힘들이 강하게 편관을 높은 곳으로 추동하는 것이다.

매혹적인 존재감

편관은 매력이 넘친다. 늘 예측 불가능한 행동으로 사건·사고를 만들고, 의리를 중요시하기에 편관이 강한 사람 주변에는 여성이든 남성이든 사람들이 몰려든다. 자신의 감정을 솔직하고 과감하게 드러내고, 편견 없이 누구에게나 친근하게 다가가기에 언제나 사람들 사이에서 화제의 중심에 서는 것이 편관이다.

사주에 편관이 잘 자리 잡고 있다면 유쾌, 쾌활, 명랑한 성격으로 드러난다. 극의 영향으로 형성된 과도한 긴장의 에너지가 명쾌하게 뿜어져 나오기 때문이다. 편관이 너무 강하면 지나친 자신감과 과시욕으로 부담을 주는 경우도 있지만 이 경우에도 특유의 매력은 숨길 수 없다.

하지만 일간을 정면으로 극하는 기운은 늘 조심해야 한다. 편관이 강한데 대인 관계에 문제가 있거나, 우울하다면 특별히 주의 깊게 살펴야 한다. 편관에 의해 자신의 주체성을 완전히 상실해 버렸다면 회복하기가 어렵다. 괜히 살이라고 불리는 것이 아니다.

편관은 성적 매력도 의미한다. 편관이 강한 사람들은 남성 여성 할 것 없이 성적인 매력이 충만한 경우가 많다. 강한 극의 작용이 매혹적인 에너지를 발산해 이성에게 어필하는 것이다. 반대로 편관이 너무 강하다면 성적 억압을 의미하기도 한다. 극하는 힘이 성적으로 연결되면, 성적인 문제로 고통을 겪을 수 있다.

다음 예시는 무토 일간의 사주로, 지지 전체가 편관으로 구성되어 있다. 시간과 연간에도 편관의 기운이 솟아나 있는 형국이니, 편관의 영향력이 매우 강한 사주이다. 이런 유형을 두고 "목 편관의 기운이 왕성한 사주"라 표현한다.

	시주	일주	월주	연주
	편관	일간	편인	편관
천간	甲 갑	戊 무	丙 병	甲 갑
지지	寅 인	寅 인	寅 인	寅 인
	편관	편관	편관	편관

편관이 많은 사주

인성
(편인+정인)

인성은 일간을 생하는 오행을 말한다. 예를 들어 일간이 목이면 사주에 있는 수 기운을 인성이라고 한다.

인성 관계도. 일간이 목일 때는 수가 인성이다.

- 일간이 목일 때 수가 인성에 해당한다.
- 일간이 화일 때 목이 인성에 해당한다.
- 일간이 토일 때 화가 인성에 해당한다.
- 일간이 금일 때 토가 인성에 해당한다.
- 일간이 수일 때 금이 인성에 해당한다.

인성은 도장 인印에 별 성星으로, 도장의 기운이라는 의미다. 인성은 음양에 따라 둘로 나눌 수 있다. 기준이 되는 일간과 음양이 같다면 편인이라고 하고, 음양이 다르다면 정인이라 부른다.

오행의 관계만 가지고 따질 때는 인성이라 통칭하며, 음양의 관계까지 고려하면 편인과 정인을 구분한다.

어머니의 힘

다른 십신의 경우, 십신의 기운이 특정 인간관계를 정확하게 암시한다고 보기는 어렵다. 식상을 무조건 자녀로 해석해서도 안 되고, 관성을 무조건 남편으로 보는 것도 지양해야 한다. 하지만 인성의 경우, 확실하게 어머니와 관련이 깊다. 사주의 인성은 남성 여성 할 것 없이 모두 어머니를 의미한다. 인성이 나를 생하는 오행이니, 나를 낳은 존재인 어머니가 인성에 해당하는 것이다.

'모성애'가 여성에게 양육의 의무를 강제하기 위해 억지로 만들어 내고 주입된 가치관이라는 주장이 있다. 물론 일리 있지만, 생물학적으로 인간을 잉태하고 자궁 안에서 길러 낳는 것은 남성이 아닌 여성이다. 아기를 직접 낳는 것이 여성이기 때문에 여성이 생명의 탄생을 관장한다고 볼 수 있다. 그렇기에 일간을 생하는 인성만은 특별하게도 어머니와 관련이 깊다.

인성은 나를 이 세상에 있게 한 기운으로 일간(나)의 근원이자 뿌리가 되는 힘이다. 따라서 다른 십신에 비해 월등히 강한 힘이며, 큰 영향력을 미친다.

특히 인생의 유년기에 인성이 어떻게 작용하느냐가 한 사람의 인생을 끈질기게 좌우한다. 사주에 인성이 없거나 유년기에 인성의 기운이 흔들리면, 어머니와의 인연이 짧거나 크지 않음을 암시한다. 인성이 너무 많을 때도 어머니가 큰 도움이 되지 못함을 의미하기 때문에 어머니와의 관계에서 서운함과 박탈감을 느낄 수 있다.

과거에는 정인을 친모로, 편인을 계모로 보았지만, 구분하는 것에 큰 의미는 없다. 단지, 정인이 어머니와의 관계에 더 큰 영향을 미친다고 보면 될 것이다.

깊은 배려심과 모성애

인성은 어머니의 힘이다. 어머니에게 사랑과 도움을 받는 소중한 힘이다. 사랑을 받아 본 사람만이 사랑을 베풀 수 있다. 인성이 강한 사람은 사랑을 받는 힘이 강한 만큼 사랑을 주는 힘도 가지고 있다. 남을 도우려는 배려심과 모성애를 가지고 있다.

이로 인해 인성은 어린이나 사회적 약자를 향한 따뜻한 시선, 베풀려는 마음 자세를 의미한다. 받는 것 없이 조건 없이 베푸는 힘이 인성이며, 나를 희생하고 베푸는 것이 인성의 본질이다. 실제로 인성이 강한 사람 중에 교육, 간호, 사회 복지 분야에 종사하는 사람이 많다.

재미있는 것은 인성이 강한 사람은 주변 사람들에게 모성 본능을 일으켜 사랑을 받으려 하고, 남에게 그 사랑을 돌려준다는 것이다. 가까운 사람에게 받아 먼 사람에게 베푸는 것이다.

인성은 어머니의 기운이면서 자녀를 양육하는 기운이기도 하다. 남녀 사주를 통틀어 인성이 있다면 자애롭게 자녀를 기를 수 있는 힘이 강하다고 본다. 여성의 사주에 인성이 없다면 출산과 양육에 불리하다고 볼 수 있다. 기본적으로 양육의 모든 과정에는 희생이 동반되는데 조건 없이 베푸는 힘인 인성이 없다면 버텨 내기 어렵기 때문이다.

도약과 진보의 힘

인성은 엉덩이의 힘이다. 책상에 앉아 있는 힘, 즉 참고, 버티고, 준비하는 힘이 바로 인성이다. 인성이 강한 사람들은 인내심을 가지고 끝까지 버텨 내는 힘이 있다.

가만히 웅크리고 앉아서 기회를 기다리는 일을 잘하고, 상황이 좋지 않더라도 불평하지 않고 참아 낸다. 이는 일종의 준비성으로 볼 수 있고, 책임감과도 관련이 있다. 생명의 탄생을 위해서는 책임감을 갖고 준비를 해야 하는 것이다. 이러한 성향은 두 보 전진을 위한 한 보 후퇴의 자세로도 볼 수 있다.

앉아서 준비하고 기다리는 이유가 무엇일까? 바로 한계를 넘어서기 위해서이다. 사람을 만나 대화하고(식상), 돈을 벌고(재성), 직장에 근무(관성)하는 것만으로는 자신의 한계를 넘기 어렵다. 이런 활동들은 내 에너지를 빼앗아 가고 나를 피곤하게 만들 뿐이다. 이런 활동을 통해서는 진정한 의미의 레벨 업을 하기가 어렵다.

한 단계 더 나은 나, 새로운 나로 발전하려면 꼭 인성이 필요하다. 어머니가 나를 탄생시켰듯이 인성은 새로운 도약과 관련된 힘이기 때문이다. 인성은 승화의 힘이고 도약의 힘이다. 고통을 넘어서서 새로운 나를 만들어 내는 힘이다.

인성이 강한 사람들은 한 단계 높이 도약하려는 의지가 강하다. '새로운 나'가 되기 위해 낯선 것을 쉽게 수용하고, 남의 말을 잘 새겨듣는다. 도약과 진보를 위해 에너지를 응집하는 과정인 것이다.

깊은 사유와 통찰

인성을 학교 공부와 연결하는 경우가 있는데, 학교 공부는 인성과 거리가 멀다. 교육 과정의 수행과 보상을 의미하는 학교 공부는 관성과 관련이 깊다. 인성의 본질은 생각의 힘, 곧 성찰이다. 사물의 표면에 현혹되지 않고 본질을 포착하는 힘, 작동원리를 간파해 내는 통찰의 힘이 곧 인성이다.

본질에서 현상을 끄집어내는 힘이 식상의 힘이라면, 인성은 현상에서 본질로 파고들어 요체를 장악하는 힘이다. 같은 생각의 힘이지만 그 방향이 다른 것이다.

인성이 강한 사람들은 사유 그 자체를 좋아하며, 깊은 사유의 과정을 거쳐 이치에 다다른다. 이치에 쉽게 접근할 수 있기 때문에 학습 효율이 높으며, 원리를 통달해 학문적 성과를 이루는 사람이 많다. 사유의 힘, 통찰의 힘, 철학의 힘이니 유년기에 인성의 기운이 들어오면 뚜렷한 결과로 이어지는 경우가 많다.

문서의 힘

인성은 최종 지도자의 힘이다. 성찰의 과정을 거쳐 철학적으로 완성의 단계에 이르렀을 때 드디어 도장(인)을 찍는 자리에 올라가는 것이다. 사주에 인성의 기운이 강하면, 최종 결재권 즉, 도장을 찍는 힘이 있다고 본다. 인성의 기운이 좋아야 그런 자리에 오를 수 있고, 또 유지할 수 있는 것이다. 하지만 인품이 훌륭할 때만 만인의 존경을 받는 지도자의 자리에 오를 수 있다.

인성은 함부로 바꿀 수 없게 규정된 힘이다. 권위와 문서에 의해 공고하게 보장된 힘이라, 자격증과 문서의 힘을 의미한다.

인성이 강한 사람들은 문서와 관련 있는 직업에 종사하는 경우가 많다. 직접 사람을 만나고, 돌아다니고, 설득하고, 흥정하는 일보다는 책상에 가만히 앉아서 문서로 세상을 접하는 일을 하는 것이다. 또한 취직을 하거나 사업을 하더라도 보통의 사업 형태보다는 자격증을 바탕으로 하는 경우가 많다. 공인중개사, 의사, 약사, 변호사, 법무사, 회계사, 변리사 등 자격증을 갖고 하는 일이 인성과 어울린다.

재성이 의미하는 재산은 언제든 쓸 수 있는 현금성 재산을 의미하는 반면, 인성은 문서로 된 재산을 의미한다. 즉 집문서, 땅문서, 인허가권 등의 부동산이다. 인성은 움직이지 않고 넓은 공간에 펼쳐져 가만히 있는 형태로 큰 힘이 되기 때문에, 활동적인 사업에는 불리한 힘이다. 인성 자체가 움직이지 않고 가만히 앉아 있는 재산이니, 현금 유동성을 바탕으로 이리저리 돈을 굴리는 활동적인 사업과 맞지 않는 것이다.

식상의 단점 보완

인성은 식상을 극한다. 식상은 기본적으로 새로운 세상과의 첫 만남을 의미한다. 처음 세상에 나갔으니 호기심이 많고 활동성이 많다. 또한 식상은 언어와 대화의 힘이며, 의식주를 풍성하게 만드는 힘이다.

인성이 식상을 극한다는 것은 인성이 식상의 활동성, 언어 능력, 풍성한 의식주를 제한한다는 의미다. 이를 부정적으로 보면, 활동성이 줄어들고 인간관계와 의식주에 불편함을 겪게 된다. 밖에 나가지 않고 책상에 앉아 생각만 하다 보면 나타나는 당연한 결과이다. 어머니의 품에만 있으면 사회생활이 제한되는 것으로 비유할 수 있다.

하지만 긍정적으로 보면, 인성이 식상을 극하면, 식상의 단점을 보완할 수 있다. 식상은 먹고, 마시고, 표현하는 본능에 충실한 힘이다. 식상이 과도하면 쓸데없는 말을 하게 되어 구설수에 오르고, 불필요한 활동 탓에 쓸데없이 에너지를 소모하게 된다. 이때 인성이 도움을 주면, 실수가 줄어들고, 진지하고 신중한 태도를 갖게 된다. 성찰과 인내의 힘으로 안정적인 활동성을 담보할 수 있는 것이다.

보육, 의료 분야

인성은 베푸는 힘이자 성찰과 인내의 힘을 의미하기에, 보살피고 방향을 제시하는 직업군과 어울린다. 마음을 베푸는 보육, 교육, 상담, 의료 분야와 아주 밀접하게 관련되어 있다. 철학, 인문 분야와도 아주 잘 어울린다. 마음을 주고받는다는 측면에서 반려동물 관련 직종과도 어울린다. 한편 인성은 경제적인 힘과는 거리가 멀기 때문에 현실적인 성취와는 거리가 먼 경우가 많다.

인성이 많은 사주

아래 예시는 신금 일간의 사주로, 지지 전체가 인성으로 구성되어 있다. 월간에도 인성의 기운이 솟아나 있는 형국이니, 인성의 영향력이 매우 강한 사주이다. 이런 유형을 두고 "토 인성의 기운이 왕성한 사주"라 표현한다.

	시주	일주	월주	연주
천간	편재	일간	정인	정관
	乙	辛	戊	丙
	을	신	무	병
지지	未	未	戌	戌
	미	미	술	술
	편인	편인	정인	정인

정인

일간과 음양이 다르고 일간을 생하는 기운을 정인이라 한다. 즉 일간이 임수라면, 사주에 있는 신금辛과 유금을 정인이라 한다. 정인을 인수印綬라고도 하는데, "도장을 허리춤에 차고 있다"는 의미다. 정인의 긍정성을 부각하기 위한 용어로 이해하면 좋겠다.

정인은 바를 정正에 도장 인印으로, 올바른 도장의 기운이라는 의미다. 일간과 다른 음양의 기운이 일간을 생하기 때문에 안정적이고 예측 가능한 방식으로 인품을 발휘하는 힘이다.

주변의 조력자들

인성은 나를 채워 주는 힘이다. 내가 노력하지 않고 가만히 있어도 알아서 나를 채워 주는 것이 인성인데, 일간과 음양이 다른 정인은 나의 부족한 부분을 채워 주는 기운이다. 넘치는 것은 그대로 두고, 부족한 것을 채워 주는 기운이니 정인은 일간이 안정적으로 설 수 있는 소중한 토대가 된다.

이러한 기운의 특성으로 인해 정인이 강한 사람들은 부모에게 풍족한 원조와 지원을 받는 경우가 많다. 또한 어느 집단에 가더라도 은사나 선배, 귀인의 조력을 받는다. 정인의 힘이 다른 사람들의 조력을 불러오는 것이다. 예로부터 정인을 아주 귀한 기운으로 여긴 배경이다.

선천적으로 나를 도와주는 힘을 타고난 것이기에 정인의 본질은 정서적 안정성과 내면의 탄탄함이라고 할 수 있다. 어린 시절에 사랑을 많이 받은 사람은 어떤 상황에서도 긍정성을 잃지 않는 법인데, 사주에 정인이 강한 경우가 여기에 해당한다. 정인은 긍정적이고 강인한 자아를 바탕으로 세상을 여유 있게 살아가는 힘이다.

모범생의 힘

정인의 키워드는 정통 학문이다. 특히 인문학에 최적화된 힘으로, 깊고 올곧은 성찰에 근거해 학문적으로 성취하는 힘이라고 볼 수 있다. 책을 읽는 힘이자, 생각을 올곧게 전개하는 힘이다.

정인은 독창적이고 창의적인 힘이 아니라, 모범생의 힘이다. 선생님의 말씀을 잘 듣는 착한 인재가 바로 정인이 상징하는 인물상이다. 정인이 강한 사람은 사회나 전통을 중시하고, 그 공동체의 규범을 잘 답습한다. 그래서 초등학교부터 대학까지 학교 공부에 강한 것이 바로 정인이다. 여기에 정관의 기운까지 더해지면, 공부 잘하고, 좋은 대학 가고, 좋은 직장에 취직해 승진하는 전형적인 엘리트 코스를 밟는다.

직업도 지식의 전수와 관련 있는 직업군이 어울린다. 교수를 포함한 교사, 국가고시나 공공 기관에 합격한 공무원 등이 정인과 관련된 직업이다. 어떤 문제가 생겼을 때 정관이 강한 사람은 매뉴얼과 법전으로 해결한다면, 정인이 강한 사람은 책장의 책을 꺼내든다. 학문의 힘으로 고난을 극복하려는 것이다.

덕망 있는 지도자

늘 적당한 원조를 받으니 삐뚤어질 일이 없다. 결핍이 없는 여유 있고 느긋한 태도, 그것이 바로 정인이 가지는 장점이다. 사주에 정인이 강한 사람은 예의와 품위, 고상한 인품을 가진 경우가 많다. 적당한 제어와 조절력을 갖춘 선비 기질을 가지고 있으며, 《삼국지》의 유비처럼 덕이 높고 자애로운 경우가 많다.

정치적으로는 정통 보수의 가치를 지향하고, 사회적 질서 유지·양심·의무·책임에 민감하다. 자애롭고 덕을 베풀 줄 알며 사회적인 가치를 중시하기에 정인이 강한 사람들은 주변 사람들에게 신뢰와 존경을 받는 경우가 많다. 또한 덕망을 바탕으로 지도자의 자리에 오르는 힘이 바로 정인이다.

앞서 말했듯이 정인을 인수라고도 하는데, 인수는 도장을 허리춤에 차고 다닌다는 뜻이다. 그만큼 안정적인 권위를 행사할 수 있음을 의미한다. 인자하고 덕망이 있는 사람에게만 최종 결재 도장을 쥘 수 있는 권한이 생기는 것이다.

지나친 자기 확신

덕망이 있고 인자하지만 정인은 그 이면에 절대 꺾이지 않는 고집이 숨어 있다. 내면이 탄탄하기 때문에 윗자리에 올라갈수록 자기 확신이 강해져 남의 말을 잘 듣지 않으려 한다. 그러면서도 소심한 성향 탓에 남의 비판에 민감하고 예민해져 스트레스를 받는다. 또한 보수적이고 권위에 순응하는 삶을 살아와서, 누군가 자신의 권위에 도전하는 것도 용서할 수 없다.

정인은 자기 완결성, 자기 만족성을 의미하기 때문에, 사주에 정인이 강하면 대인 관계에서 고독이 따라다닐 수밖에 없다. 유행을 타는 것, 가벼운 만남에서 즐거움을 느끼는 것, 이러쿵저러쿵 사람들과 떠들어 대는 것을 좋아하지 않으니 자연스럽게 나타나는 현상이다.

또한 유연성과 순발력이 부족해 돌발 상황에 대처하는 능력이 떨어진다. 일단 기다리고 지켜보자는 것이 정인이 강한 사람들의 유일한 해결책이다.

안정적인 의식주

흔히 식상을 의식주를 의미하는 십신으로 보는데, 정인도 안정된 의식주와 관련이 있다. 정인의 기운 자체가 부족함을 채워주는 원만한 기운이기 때문이다.

정인이 강한 사람들은 편인처럼 재능과 기술이 뛰어나진 않다. 하지만 공부와 문서운으로 인해 의식주를 편안하게 만들어 낸다. 학위나 국가에서 주는 자격증 등으로 의식주를 안정적으로 해결해 갈 수 있는 것이다. 공부를 잘해서 자격증을 따거나 고시에 합격하고, 안정적인 공공 기관이나 직장에 취직하는 방식이다. 부동산을 오래 갖고 있음으로써 삶의 안정성을 확보하는 것도 정인의 방식이다.

온실 속 화초

정인이 과다한 경우 신중함이 지나쳐 결단을 못 내리고 시간만 끄는 경우가 많다. 어떤 결과물을 내기 위해 계속 준비만 하다가 끝나는 경우도 많으며, 속으로만 궁리하다가 기한을 넘기는 상황도 많이 생긴다. 내쳐야 할 사람을 내치지 못해 자신이 손해를 감수해야 하는 일도 종종 생긴다. 모든 사람에게 사랑과 존경을 받아야 한다는 강박이 좋지 않은 결과로 이어지는 것이다.

또한 정인은 완벽한 원조와 도움을 의미해서, 사주에 정인이 강한 경우 게으르고 의존적인 성향으로 드러날 수 있다. 늘 도움을 받아 왔고, 어차피 도움을 받을 것이니 매사에 독기를 품을 이유가 없는 것이다. 온실 속의 화초로 비유할 수 있다.

아래 예시는 신금 일간의 사주로, 지지 전체가 인성으로 구성되어 있다. 월간에도 인성의 기운이 솟아나 있는 형국이니, 인성의 영향력이 매우 강한 사주이다. 이런 유형을 두고 "토 인성

	시주	일주	월주	연주
천간	정인	일간	정인	정관
	戊 무	辛 신	戊 무	丙 병
지지	戌 술	丑 축	戌 술	辰 진
	정인	편인	정인	정인

정인이 많은 사주

의 기운이 왕성한 사주"라 표현한다.

편인

일간과 음양이 같고 일간을 생하는 기운을 편인이라 한다. 즉 일간이 임수라면, 사주에 있는 경금庚과 신금申을 편인이라 한다.

편인은 치우칠 편偏에 도장 인印으로, 치우친 도장의 기운이라는 의미다. 일간과 같은 음양의 기운이 일간을 생하기 때문에, 변화무쌍하고 다양한 방식으로 개성을 발휘하는 힘이다.

기울어진 조력

넘치는 것은 그대로 두고 부족한 것을 채워 주는 기운이 정인이라면, 편인은 그 반대다. 일간과 음양이 같기 때문이다. 편인은 한쪽으로 치우친 상태로 나를 채워 주는 기운이다. 따라서 편인은 강력하지만 예측하기 어려운 힘을 의미한다.

이러한 특성 탓에 편인이 강한 사람들은 불안정하고 예측하기 어려운 방식의 조력을 받는다고 볼 수 있다. 정인이 받는 도움이 적절하게 도와주고 타이르면서 부족함을 채워 주는 것이라면, 편인이 받는 도움은 잘할 때는 엄청 칭찬하고, 못할 때는 심하게 꾸짖는 방식이다. 이러한 예측 불가능성 탓에 예로부터 편인을 부정적인 기운으로 여겼다.

선천적으로 예측 불가능한 도움의 힘을 타고난 것이기에 편인의 본질은 변화무쌍한 정서의 발현으로 볼 수 있다. 치우친 조력의 힘은 장점을 더욱 강화하고 단점을 더욱 악화하기 때문에 환경과 상황에 따라 드라마틱하게 잠재력이 발현된다고 볼 수 있다.

현대에 주목할 힘

나를 도와주는 기운이 한쪽으로 몰리기 때문에 오히려 안정적인 환경 조성이 어렵다. 과거에는 이를 무조건 부정적으로만 보았는데 달리 생각하면, 안정적인 환경이 아니기에 독창적이고 창의적인 발상이 가능하다고 볼 수 있다.

사주에 편인이 강하면 흔하지 않은 독창성, 창의성, 강한 개성을 드러낸다. 한쪽으로 편중된 기운이 강한 개성을 만들어 내는 것이다. 편인은 예측 불가능한 성격, 도사리고 있는 무궁무진한 잠재력을 의미한다. 따라서 공공 기관이나 대기업 등 안정적인 직장보다는 개성을 발휘할 수 있는 소규모 그룹이나 프리랜서에 어울리는 힘이다. 반복적이고 안정적인 조건보다는 독특하고 변수가 많은 환경이 편인과 어울린다.

사회가 믿음과 신뢰를 기반으로 극히 안정되어 있다면 정인이 크게 빛을 볼 수 있다. 하지만 지정학적 위기로 일상이 위협받고, 변화의 격랑이 휘몰아치는 현 시대에는 편인이 꼭 필요한 기운이라고 할 수 있다. 위기를 극복하고 새로운 가능성을 모색하기 위해 편인의 변동성과 잠재력에 주목해야 한다.

특출난 재능

편인은 특수한 기술과 예술·체육 방면에서의 특별한 재능을 암시한다. 남들은 가질 수 없는 끼, 엔터테인먼트 재능이 편인에서 비롯된다. 이러한 끼와 예술적 감각, 특수한 물건을 제작할 수 있는 고유의 능력은 모두 극단적으로 일간을 추동하는 편인의 힘에서 나온다. 치우친 상태로 일간을 생하는 힘이 남들은 절대 가질 수 없는 특수한 능력을 빚어내는 것이다. 치우침은 변화의 폭이 넓음을 의미하고, 변화의 폭이 넓어질수록 가능성이 증폭된다고 할 수 있다.

정인이 엘리트와 모범생의 힘이라면, 편인은 의학·명리학·철학·종교·무속·연예 분야 등의 직업과 관련이 깊다. 특수한 기술을 다루는 직업 분야에서 두각을 드러내는 경우도 많다.

남다른 영적인 능력

편인은 잡기에 능한 편인데, 그중에서도 세속적인 가치와 상관이 없는 쪽에 관심이 많다. 사주에 편인이 강한 사람들은 종교나 철학, 영성, 우주, 명상 등에 관심을 가지는 경우가 많다.

또한 예지력과 신통력이 강하고, 영적인 능력이 탁월하므로 무속이나 예술 분야 등에서 굉장한 능력을 발휘하는 경우가 많다. 일반적이지 않은 시선으로 세상을 보기 때문에 사물을 꿰뚫어 보는 능력이 발달한 것이다. 정인의 통찰력이 생각의 힘을 통해 지식의 체계를 관통하여 이치를 파악하는 방식이라면, 편인의 통찰력은 감각의 힘을 통해 신비의 체계를 체득하여 순간의 흐름을 밝혀내는 방식이다.

편인이 강한 사람들은 스스로 사회적 고립을 자초하는 경우가 있으며, 혼자만의 동굴로 들어가 고도의 사유가 필요한 철학, 4차원의 세계를 탐구하는 경우가 많다. 자기 자신에서 사회를 거치지 않고 바로 우주와 소통해 버리는 것이다.

극단적인 게으름

십신 중 '편'들(편관, 편재)이 대개 그러하듯 편인도 극단성이 드러난다. 정인이 일상에서의 게으름과 나태라는 단점을 가지고 있다면, 편인은 극단적인 게으름의 기운을 가지고 있다. 편인의 게으름은 한번 게으름에 빠져들면 물도 마시지 않을 정도의 극단적인 게으름이다.

하지만 아무것도 하지 않고 숨만 쉬고 있다가 갑자기 느낌이 오면 움직이기 시작해 폭발적으로 결과물을 만들어 낸다. 한번 마음먹으면 몇 날 며칠 동안 잠도 자지 않고 끝까지 해내는 능력을 가지고 있다. 하지만 집중력을 유지하지 못해 금세 흥미를 잃고, 다시 게으름에 빠져든다.

또한 편인은 모든 일에 좋고 싫음이 분명한데, 하고자 하는 일에는 결단력과 의지를 강하게 발휘해 엄청난 결과를 내지만, 그 이외의 영역에서는 아무것도 할 수 없는 의존성을 강하게 드러낸다.

인성은 흔히 부동산을 의미하는데, 편인은 부동산도 극단적으로 드러낸다. 정인의 부동산이 쉽게 현금화할 수 있는 부동산이라면, 편인의 부동산은 쉽게 팔기 어려운 땅을 의미한다. 가지고 있지만 아무도 사려 하지 않고 욕심내지 않는 땅, 없느니만 못한 땅이 편인의 땅이다. 하지만 어느 날 갑자기 값이 크게 뛰어올라 모두를 깜짝 놀라게 하는 것이 편인의 부동산이다.

빠른 눈치와 순발력

꾸준히 비가 내려서 안정적으로 농사를 지을 수 있는 환경이 정인의 환경이라면, 가뭄과 홍수가 반복되는 것이 편인의 환경이다. 언제 비가 올지 몰라 조급해하는 마음이, 위태로워하는 마음이 편인의 정신세계를 지배하고 있다. 따라서 편인이 강하다면 일상적으로 스트레스에 노출되어 있다고 볼 수 있으며, 노이로제와 짜증에 시달리는 경우가 많다.

편인은 들쭉날쭉한 정신의 기운을 의미하기에 변덕이 심한 성격으로 드러나는 경우가 많다. 작심하고 앞으로 나아가는 동안에도 편인의 마음속은 항상 갈팡질팡하고 불안하며 변덕으로 들끓는다.

극단적이고 척박한 환경에서 버티려면 필연적으로 눈치가 발달해야 한다. 빠른 눈치와 순발력, 임기응변은 편인의 소중한 단면이다. 상황을 한번 쓱 훑어보고 형세를 파악하는 능력으로 수많은 위기를 극복할 수 있고, 자신의 특출함을 증명할 수 있다.

다음 예시는 계수 일간의 사주로, 편인이 무려 다섯 개나 자리하고 있다. 일지의 축토 역시 토생금의 방식으로 금 편인을 생해 주고 있으니, 편인의 힘이 더욱 강렬한 사주이다. 이런 유형을 두고 "금 편인의 기운이 왕성한 사주"라 표현한다.

	시주	일주	월주	연주
천간	편인	일간	편재	편인
	辛	癸	丁	辛
	신	계	정	신
지지	酉	丑	酉	酉
	유	축	유	유
	편인	편관	편인	편인

편인이 많은 사주

에필로그

지금까지 사주명리의 근간을 이루는 기본 이론과 체계를 살펴보았다. 천간과 지지, 오행의 상생상극, 십신의 의미를 개별 사주에 대입해 본다면 한 인간의 성향과 본질을 이해할 수 있을 것이다.

사주명리 공부를 통해 크게는 두 가지 의미 있는 일을 할 수 있는데, 첫째가 인간 존재에 대한 통찰이고, 둘째가 미래의 길흉화복 예측이다. 1권에서는 인간 존재에 대한 통찰이라는 목표를 위해 기초 개념을 다뤘다면, 2권에서는 길흉화복 예측의 방법론을 다룰 예정이다.

2권을 통해서는 도대체 길흉화복이라는 것이 무엇이고, 어떤 방식으로 미래의 길흉화복을 예측할 수 있는지에 대해 구체적으로 다룰 예정이다. 1권에서는 낯선 개념과 용어들이 등장해 적응하는 데 애를 먹었다면, 2권에서는 1권에서 소개된 이론과 체계가 반복 활용되기 때문에 훨씬 편하고 재미있게 사주명리를 즐길 수 있을 것이다. 미래 예측은 신이나 무속의 영역이라고 생각하는 사람이 많은데, 사주명리 공부를 통해 누구나 스스로의 미래를 예측할 수 있고, 안개로 가득 찬 미지의 미래를 밝게 비출 수 있다. 공부한다면 내 미래를 남에게 의지하지 않아도 되는 것이다.

사주는 너무 많은 오해와 억측, 과장 탓에 세상에 잘못 알려졌다. 사주는 이치를 통찰할 수 있게 하는 훌륭한 철학적인 체계이다. 또한 무속의 도구, 마술사의 지팡이가 아니라 인간의 삶을 들여다보는 소중하고도 효과적인 도구이다.

제대로 알아야 진정으로 사랑할 수 있다.

아름다운 철학 체계이자 소중한 도구인 사주명리 공부를 통해 삶의 이치를 이해할 수 있기를, 상처를 치유하고 미래를 긍정할 수 있기를 바란다. 그리고 그 과정을 통해 진정 자신을 사랑할 수 있기를 빈다.

나의 사주명리 — 기초 편

초판 1쇄 발행 2022년 11월 4일
초판 10쇄 발행 2026년 1월 20일

지은이 | 현묘
펴낸이 | 김연우
펴낸곳 | (주)태학사
등록 | 제406-2020-000008호
주소 | 경기도 파주시 광인사길 217
전화 | 031-955-7580
전송 | 031-955-0910
전자우편 | thspub@daum.net
홈페이지 | www.thaehaksa.com

편집 | 조윤형 여미숙 김태훈
마케팅 | 김민선
경영지원 | 김영지

전2권 값 50,000원
ISBN 979-11-6810-401-3 04150
979-11-6810-403-7 세트

도서출판 날은 (주)태학사의 인문 · 에세이 브랜드입니다.

책임편집 여미숙
디자인 이유나